KB103618

꽃을 그리다
마음을 쓰다

꽃을 그리다 마음을 쓰다
발 행 | 2024년 1월 17일
저 자 | 선량
내지그림 | 선량
펴낸이 | 한건희
펴낸곳 | 주식회사 부크크
출판사등록 | 2014.07.15(제2014-16호)
주 소 | 서울특별시 금천구 가산디지털1로 119 SK트윈타워 A동 305호
전 화 | 1670-8316
이메일 | info@bookk.co.kr
ISBN | 979-11-410-6711-3

www.bookk.co.kr

꽃을 그리다 마음을 쓰다

목 ✿ 차

추억

행복

치유

사랑

인연

추스르지 못한 감정이 흐르는 것을

억지로 막을 수 없습니다

추억이란 저절로 떠오르는
어느 순간의 감정들입니다

첫사랑의 추억
봉숭아

페이스북에 새로운 알람이 떴다.

<000님이 좋아요를 눌렀습니다.>

순간 멈칫했다. 나도 모르게 평소엔 볼 수 없는 환한 미소까지 머금었다. 이 녀석이 살아있었구나…….

회색빛으로 흐릿하게 감추어 두었던,

내 생에 가장 투명했던,

하지만 절대 꺼내 보이지 못했던.

아름답게 눈이 부셨던 날들이 한꺼번에 쏟아져 한참을 멍하니 앉아 있었다.

내 고향은 남쪽 끝, 고흥이다. 삼면이 바다로 둘러싸여 있지만, 산이 많아서 우리 마을은 농촌, 앞 마을은 어촌, 옆 마을은 산촌인 곳이다. 지금은 노인 인구가 대부분을 차지하고 있어서 몇 년 뒤엔 고흥군 자체가 사라질 거라는 말도 있다. 하지만 내가 국민학교, 그러니까 지금의 초등학교에 다닐 때만 해도 아이들이 꽤 많았다.

열세 살이 되던 해, 시골을 떠나 도시로 전학을 가게 되었다. 시골을 떠나는 건 그다지 아쉽지 않았다. 하루라도 빨리 도시로 가고 싶었다. 농사일이 너무 힘들었기 때문이다.

일손이 부족할 때마다 논과 밭에서 일을 해야 했다. 봄이면 마늘을 심고, 고추를 심고, 모내기를 하고, 여름이면 고추를 따고, 마늘을 뽑고, 밭에서 잡초를 뽑고, 콩을 심고 따는 모든 일이 나에겐 그저 힘겨운 노동에 불과했다. 그렇다고 땡볕에서 힘들게 일하는 엄마를 모른 척할 수도 없었다. 시골 사는 아이들이 다들 비슷한 처지였겠지만, 유독 나만 일을 많이 하는 것 같았다. 냇가 하류에서 엄마를 도와 일을 하고 있으면 상류에서 같은 반 남자아이들이 물놀이를 하고 있었다.

도시에는 언니들과 할머니, 할아버지가 살고 있었다. 언니들과 함께 지낸다면 엄마와 떨어져 지내도 괜찮을 것 같았다.

하지만 딱 하나, 걸리는 게 있었다. 내가 좋아했던 그 아이를 볼 수 없다는 게 슬펐다.

그 아이는 시골 어느 남자아이들과 달랐다. 여자아이들 고무줄을 끊고 달아나지도 않았고, 욕을 하거나 거친 행동도 하지 않았다. 4학년이 될 때까지도 한글을 못 뗀 아이들이 있었지만, 그 아이는 달랐다. 시골스럽지 않게 똑똑해 보였다고나 할까?

아쉬움을 뒤로하고 시골을 떠나 도시로 갔다. 11살의 남동생과 함께였다. 도시 학교엔 나와 같은 시골 출신 아이들이 많았다. 모두들 조금이라도 더 좋은 환경에서 공부하기 위해 부모를 떠나 상경한 아이들이었다. 도시에서 오래 산 대다수의 아이들과 시골에서 막 올라온 극소수의 아이들이 한데 섞여 한 반을 이루었다. 나는 그중에서도 가장 먼 시골에서 올라온, 촌스러운 말투와 외모를 가진 촌년이었다. 도시물을 먹고 자란 아이들 사이에서 나는 쭈구리가 되었다. 당차고 똑똑했던 아이는 더 이상 없었다.

6학년 여름, 방학을 맞아 두 살 어린 동생과 함께 시외버스를 타고 시골에 갔다. 동생은 친구들과 놀러 다니기 바빴고, 나는 부모님을 따라 유자 밭으로 일을 하러 갔다. 유자 밭은 옆 동네 낮은 산등성이에 있었다.

그곳에서 그 아이를 만났다. 산에 일을 하러 가는지 작은 가방을 들고, 내가 있는 곳을 향해 오고 있었다. 가슴이 콩닥콩닥 뛰었다. 그 아이의 얼굴을 쳐다볼 수가 없었다. 인사를 하고 싶었지만, 아무 말도 못하고 고개만 숙이고 있었다.

"안녕"

무심하게 지나가다 그 아이가 인사를 했다. 그제야 고개를 들고 그 아이의 뒤통수를 바라보았다. 뜨거운 햇살 때문이었는지 내 얼굴은 벌겋게 달아올라 있었다.

마당 가에 피어 있던 봉숭아꽃과 이파리를 따다가 검정색 비닐봉지에 넣었다. 소금과 백반을 넣고 돌멩이로 콩콩 찧었다. 손으로 조물조물 작은 공을 만들어 옆에 앉아있던 동생의 작은 손톱에 울렸다. 살짝

힘을 주어 누르면 동생의 손톱에 알맞게 납작해졌다. 미리 준비해 둔 비닐봉지를 돌돌 말고, 미리 끊어 놓은 실을 칭칭 감았다. 내 손톱에도 똑같은 방법으로 봉숭아를 올리고 비닐봉지를 감았다.

내 손에 직접 할 때는 고도의 방법이 필요했다. 내 입으로 봉숭아 물이 스며들어가지 않게 애를 쓰며 앞니로 실을 물고 있어야 했다. 피가 통하지 않아 손가락 끝이 저리는 것을 방지하기 위해 적당한 압력으로 비닐을 감아야 했다. 열 손가락에 까만 비닐봉지를 감싸고 나면 만나절이 훌쩍 지나 있었다.

동생은 답답하다며 하룻밤을 버티지 못하고 빼버렸다. 난 손끝이 간지럽고 찜찜했지만, 그 아이를 생각하며 아침까지 버텼다. 아침에 일어나 묶어 둔 비닐을 빼 보니, 손톱에 빨간 물이 예쁘게 들었다. 손톱 주위의 살에도 주황색 물이 들었다. 이 정도의 번짐은 봐줄만 했다.

첫눈이 오기를 내내 기다렸다. 첫눈이 올 때까지 봉숭아 물이 빠지지 않으면, 그 사랑이 이루어진다고 했으니까. 그 미신 같은 말을 곧이곧대로 믿었다. 그 아이가 나를 잊지 않기를 바라면서 무더운 여름을 견디고, 외로운 가을을 버티며 첫눈을 기다렸다. 새끼 손톱 끝에 아련하게 남아있던 봉숭아의 흔적이 더욱 흐릿해져 아스러져 갈 때 첫눈이 내렸다. 나는 초승달보다 더 작아진 손톱 끝의 흔적을 보면서 나의 첫사랑도 이렇게 아스러져가고 있다는 걸 깨달았다.

중학생이 되었을 때 그 아이에게서 편지가 왔다. 사진도 한 장 들어 있었다. 수학여행에서 찍은 사진이라고 했다. 키가 훌쩍 자라 있었지만, 얼굴만은 어린 시절 그대로였다.

나는 답장을 보내지 못했다. 중학생이 된 내 얼굴엔 여드름이 잔뜩 나 있었고, 살도 좀 쪄서 예전의 귀엽던 내 모습이 아니었다. 나는 그 아이를 다시 볼 자신이 없었다. 하지만 내 일기장엔 그 아이에 대한 그리움으로 가득했다. 그 아이의 이름을 쓰고 바로 아래 내 이름을 쓴 후, 이름을 숫자로 환산해 더하기를 해서 말도 안 되는 사랑의 퍼센트를 구했다. 그 아이를 좋아하는 마음만큼 샤프 연필을 누른 후 하트를 그렸다. 하트 안에 그 아이의 이름을 쓰고 하트 안을 까맣게 색칠했다. 샤프심이 부러지지 않으면 그 사랑이 이루어진다고 했다. 하지만 가느다란 샤프심은 참 쉽게 부러졌다.

내 어린 시절엔 온통 그 아이로 가득 차 있었다.

대학생이 되어 그 아이를 다시 만났다. 추석을 맞아 고향을 찾은 몇몇 친구들과 함께 맥주와 새우깡을 사서 우리가 다니던 초등학교 앞,

다리 위에 자리를 잡고 앉았다. 순수했던 시골 초등학생의 모습은 사라지고 없었다. 맥주를 마시며 깊이도 없는 삶에 대한 헛소리를 떠들어댔다. 난생처음으로 술에 취했을 때, 술김에 그 아이에게 고백을 하고 말았다.

"야, 내가 너 좋아했던 거 아냐?"

그 아이는 어떤 대답을 했었더라?

오래 사귄 여자 친구가 있다고 했다. 고등학생 때 만난 친구라고 했다. 아쉬웠지만, 어쩔 수 없었다.

사랑도 고백도 타이밍이니까…….

나른한 봄에 봉숭아꽃을 보면 그 아이의 미소가 떠오른다. 그리고 내 순수했던 어린 시절의 모습도 함께 떠올라 한참 동안 과거로 향한다. 첫사랑의 기억은 봉숭아의 꽃말처럼, 언제나 잊지 못할 소중한 추억인가 보다.

그 친구의 페이스북에 들어가 안부를 물으려다 말았다.

추억은 추억으로 남아 있을 때

변하지 않는 곳에 머물러 있을 때

가장 아름다운 법이니까.

내가 이렇게 잘 지내고 있는 것처럼,

그 아이도 가족들과 함께 잘 지내고 있을 거라 생각하며 페이스북을 껐다.

소중한 추억 에델바이스

14년 전, 네팔에서 지냈다.

명목은 해외 봉사활동이었지만, 진짜 목적은 아무도 모르는 낯선 곳에서 살아보고 싶다는 열망 때문이었다. 익숙한 곳에서는 절대 타오르지 않는 용기가 낯선 곳에서는 작은 불씨로도 화르르 타오르는 법이니까.

그곳에 머무는 동안 나는 여러 용기와 포기, 성공과 실패를 경험했고, 인연을 만났다.

네팔에는 세 가지 코스의 히말라야 트레킹이 있다. 가장 유명한 에베레스트 베이스캠프 코스, 두 번째로 유명한 안나푸르나 베이스캠프 코스, 그리고 이 두 코스보다는 덜 유명하지만 또 다른 매력이 있는 랑탕 트레킹 코스.

에베레스트와 안나푸르나 트레킹을 가기 위해서는 카트만두에서 경비행기를 타고 가야 하지만, 랑탕은 버스를 타고 가면 되기 때문에 비용면에서 좀 더 저렴하다. 4박 5일 정도의 일정으로도 다녀올 수 있어서 짧은 휴가를 이용해 다녀올 수 있는 곳이기도 하다.

네팔에서 지낸 지 일 년쯤 지났을 때, 여자 여섯 명이 한 팀을 이루어 에베레스트 베이스캠프를 다녀왔었다. 이 주 정도 되는 코스였는데, 그중 한 언니는 산을 오르는 도중에 숨쉬기가 힘들어 먼저 하산했고, 한 언니는 계속 보살핌을 받길 원했다. 또 짐을 들어주었던 포터(Porter; 히말라야 트래킹을 할 때 짐을 들어주는 사람)와도 약간의 문제가 생겨 산을 오르는 일 보다 다른 것들에 신경 쓰느라 피곤했다.

이번에는 혼자 트레킹을 하겠다고 결심했다. 체력을 위해 미리 자전거를 타고 다녔고, 하루에 두 시간씩 걷기 운동도 했다. 함께 산을 오를 포터도 구해 놓았다.

그런데 이런 나와 함께 가고 싶다는 사람들이 생겼다. 40대, 50대로 구성된 시니어 선생님 팀이었다. 혼자 가려고 준비하고 있었지만 혹시나 모를 위험이나 불상사가 걱정되기도 했다. 고민 끝에 선생님들과 함께 한 팀을 이루어 산을 오르기로 했다.

애초에 나 혼자 계획한 트레킹에 선생님들이 합류한 것이었기에 모든 일정을 나에게 맞춘다고 했다. 난 바보처럼 그 말을 곧이곧대로 믿었다.

29살의 나는 산을 너무 잘 올랐다. 어렸을 적 시골에서 단련된 체력이 아직 남아있었던 모양이다. 물론 숨이 차고, 다리가 후들거리기는 했지만, 견딜만했다. 뒤따라 올라오는 선생님들과의 거리는 좀 채 좁혀지지 않았다. 하지만 나는 그들을 배려할 여유가 없었다. 내가 계획한 일정대로 정상에 올라 '야호'를 외치려면 느리게 걷는 선생님들을 재촉할 수밖에 없었다.

산을 오른 지 3일 만에 한 선생님의 몸에 문제가 생기고 말았다. 얼굴 한쪽이 마비되어 입이 돌아가는 안면마비, 바로 구안와사가 온 것이었다.

산을 계속 오를 것인지 아니면 정상을 포기하고 내려갈지 결정해야 했다. 이번에도 선생님들은 내 결정을 따르겠다고 했다. 나는 진심으로 정상에 오르고 싶었다. 조금만 더 오르면 멋진 히말라야의 풍경을 볼 수 있었다. 그냥 혼자 올 걸…. 뒤늦은 후회도 했다. 언제 다시 이 산을 오를 수 있을지 장담할 수 없었다….

나는 그만 내려가기로 결정했다. 내 욕망보다 팀원의 안전이 우선이었다. 랑탕에 아쉬움을 잔뜩 남겨두고 우리는 3일 만에 산을 내려왔다.

10여 년이 지난 지금, 나는 그 당시 선생님들의 나이가 되었다. 이제야 선생님들이 그때 얼마나 힘들었을지, 짐작할 수 있게 되었다. 지금 나는 30분 이상 걸으면 허리와 다리가 아프다. 산은커녕 평지를 오래 걷는 것도 힘들다. 계단을 오르면 숨이 차고, 빨리 걸으면 발목이 아프다.

선생님들은 산을 오르는 내내 날다람쥐처럼 앞서가버린 내가 얼마나 원망스러웠을까?

동화책 속 이야기처럼 신비로운 히말라야 설산을 바로 눈앞에 두고 평범한 인간사로 내려가기 아쉬워 숙소 근처에 있던 고산 평야 지대를 둘러보러 갔다. 그곳에서 신화 속의 꽃, 에델바이스를 만났다.

옛날 알프스 설산 높은 곳에 에델바이스라는 이름의 천사가 살았다. 등산하러 올라왔다가 에델바이스를 만난 남자들이 그녀의 아름다움에 반하고 말았다. 그 소문이 퍼져 여러 남자들이 에델바이스를 보기 위해 산을 오르다 떨어져 죽게 되었다. 그게 너무 슬펐던 에델바이스는 자신의 모습을 꽃으로 바꿔 달라고 신에게 빌었다. 결국 에델바이스는 하얗고 솜털이 보송한 별 모양을 가진 꽃이 되었다.

이 꽃은 아시아 또는 유럽의 고산 지대에선 볼 수 있는 꽃으로 우리나라에선 서식하지 않는다.

높은 산에서 만난 에델바이스는 신비스러웠다. 한 봉우리에 여러 개의 꽃이 모여있는 것도, 이파리에 솜털이 송송 나 있는 것도.

나는 이곳에서의 추억을 소중하게 간직하고 싶어서 꽃을 하나 꺾어 왔다. 그리고는 한국에 있는 남자친구에게 편지를 쓰면서 함께 보냈다.

네팔에서 고작 한 달 교제하고 그는 한국으로 귀국했다. 그래서였을까? 애절하고 그리운 마음을 가득 담아 매일 편지를 보냈다. 스마트폰이 없던 시절이었기에 네이트 온으로 채팅을 하고, 미니홈피를 들락거리며 소식을 전했다. 내 귀국 일정은 아직 7개월 남아 있었다.

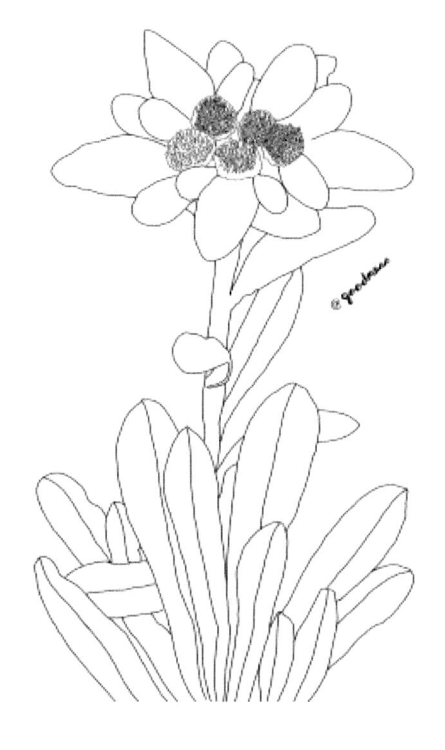

만난 시간보다 떨어져 있는 시간이 많았다. 다들 우리가 곧 헤어질 거라고 생각했다. 더욱이 그는 아직 대학생이었다. 졸업도 해야 했고, 취직도 해야 했다.

모든 사람이 반대하고, 이루어질 수 없을 거라고 수군대는 사랑에 우리는 근거 없는 확신을 가졌다.

그리고 3년 뒤, 우리는 근거 없는 확신을 증명이라도 하듯 결혼했다.

문득, 그때 내가 보냈던 에델바이스가 생각나 책장을 뒤져보니, 그에게 보냈던 편지가 아직도 남아있었다. 조심스레 편지를 열어 아직 남아있는 소중한 추억을 떠올렸다.

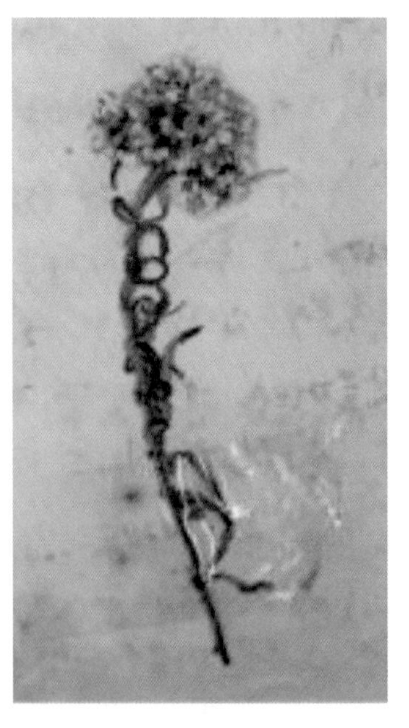

만지기만 해도 으스러질 것 같은 바싹 마른 꽃을 바라보며 20대의 나를 떠올렸다. 그와 나누었던 애정 어린 대화와 편지들을 회상했다. 그리고 함께 트레킹하느라 고생하셨을 시니어 선생님들이 떠올라 미안한 마음이 들었다.

나는 아이들과 함께 고이 잠든 그를 바라보며 사운드 오브 뮤직에 나왔던 노래, "에델바이스~ 에델바이스~ 흠~ 흠흠흠 흠~ 흠

가사도 모르는 노래를 흥얼거리며 소중한 추억을 되새겨 보았다.

그와 산 세월이 이제 13년 차가 되었다. 연애할 때 가졌던 애틋하고 설레었던 감정은 사라진 지 오래다. 그도 나도 서로에게 너무 익숙해

져 버렸다. 말투 하나, 눈빛 하나만 봐도 뭘 원하는지, 마음이 불편한 지 알 수 있다. 그건 사랑을 넘어 동지애 같은 것이다.

그와 결혼한 후 방글라데시로, 뭄바이로 뉴델리로 그리고 지금 살고 있는 밀라노로 이사 다니느라 힘들고 지친 환경이었다. 그때마다 내가 왜 이 사람과 결혼을 해서 이 고생을 하고 있나……. 한탄했다. 하지만 뒤로 무를 수도 없었다. 네팔 히말라야의 정기 때문에 눈에 뭐가 씌었던 것이 분명하다….

대부분의 부부가 우리와 같을 것이라 위안하며 산다. 하지만 그도 나도 서로에게 진심인 것을 안다.

"소중한 추억"이라는 꽃말을 가진 에델바이스가 으스러지지 않고 그대로 있는 걸 보니, 그 옛날 사랑의 감정이 물씬 떠오른다.

오늘은 그의 어깨를 한 번 더 토닥여 볼까…….

비밀스러운 추억
아까시 꽃

좋아한다, 안 한다.

좋아한다, 안 한다…….

작은 가지를 한 손에 들고, 한 손으로 이파리를 하나씩 떼어내며 내가 원하는 답이 나올 때까지 주문처럼 하던 말,

"좋아한다, 안 한다. 좋아한다, 안 한다……."

이파리를 모두 떼어내고 남은 가지로 앞머리를 뱅뱅 돌려 감아 고정한 후 세 시간쯤 지나면 핑크 파마가 되었다.

생동한 이른 봄을 지나 나른한 늦은 봄이 되면 코끝을 자극하는 꽃향기가 여기저기서 풍겼다. 버스 맨 뒷 좌석에 앉아 한 뼘 크기의 창을 열면 텁텁한 땀 냄새가 가시고 아까시 꽃향기가 밀고 들어왔다. 그건 향긋하다 못해 허기를 자극했다.

집으로 향하던 발걸음을 잠시 지체시켜 멈추었다. 하얗게 대롱대롱 매달린 꽃을 한 움큼 따다 입에 쏙 넣고 오물거렸다. 겨우 개미 눈물만큼 고여 있는 꿀이 뭐 그리 달다고, 그리도 맛있게 먹었을까?

아까시잎과 꽃은 추억이고 설렘이고 그리움이다.

우리 모두 아카시아로 알고 있지만, 진짜 명칭은 아까시나무라고 한다. 하지만 노래와 시, 껌을 통해 아카시아로 널리 널리 불리게 되었고, 지금도 다들 아카시아라고 알고 있다.

아까시 꽃향기에 대한 추억은 전국적인 모양이다. 전라도에 살았던 나에게도, 경상도에 살았던 그에게도. 추억이 머문 공간은 다르지만, 꽃향기가 남긴 그리움의 시간은 모두 같다.

글도 안 써지고, 그림도 그리기 싫던 날. 남편에게 어떤 꽃이 그립냐고 물어보았다.

"초등학교 뒤에 아카시아가 있었어. 근데 그 꽃향기가 정말 진하게 풍겨왔거든. 그게 너무 생각나. 초등학교 6학년 때 담임 선생님도 생각나고…. 참 좋은 분이셨는데…."

6학년 봄 운동회 날, 남편은 엄마와 함께 달리기를 해야 했다. 혼자 멍하니 서 있는 그를 향해 만삭의 선생님이 몸을 뒤뚱거리며 달려왔다.

"니, 내랑 달리제이. 알긋제?"

그는 그날 담임 선생님의 손을 잡고 달리기를 했다. 1등을 했는지는 중요하지 않았다. 오로지 배가 불룩 나온 선생님의 따뜻한 손만 기억에 남았다.

그렇게 떠올린 선생님을 수소문하더니 결국 연락처를 알아냈다. 30년 전, 만삭이었던 선생님은 어느새 교장 선생님이 되어 있었다.

그의 말을 듣고 그의 추억을 그리기 시작했다.

아까시 이파리를 떼어내며 그 아이가 날 좋아하기를 간절히 바랐던 따뜻한 봄날의 추억.

아까시의 꽃말처럼 누구에게도 말하지 못하고 조용히 비밀로 간직했던 짝사랑의 추억.

따뜻했던 선생님의 손길에 대한 추억.

집 근처에는 커다란 나무가 하나 있다. 아까시나무는 아니지만 이파리가 비슷하게 생겼다. 가지를 하나씩 떼어내고 아이들과 가위바위보를 했다. 이긴 사람이 이파리를 떼어내고, 가장 먼저 떼어낸 사람이 이기는 게임이다. 아이들과 함께 집으로 돌아가는 내내 가위바위보를 했다. 그리고 아들이 일등, 딸이 이등, 내가 꼴찌를 했다.

하찮기만 한 시간이 가위바위보와 함께 즐거웠던 추억으로 남기를 바랐다.

향긋한 봄기운이 기다려지는 요즘,
그리움도 함께 짙어만 간다.

누군가에게 기억된다는 건,
물망초

"선량 씨, 잘 지내요?"

누구지? 내 이름을 아는 걸 보니 분명 아는 사람인데….

그녀의 이름을 몇 번이고 되새겨 보았다. 그런데 누군지 생각나지 않는다. 프로필 사진을 눌러보았다. 사진을 봐도 누군지 모르겠다. 아!! 큰일 났다. 도대체 어디서 만난 사람이지?

해외 생활을 하는 동안 만난 사람이 많은 만큼 헤어진 사람도 많다. 한 곳에 오랫동안 머물렀다면 인간관계의 범위가 이렇게 넓어지진 않았을 것이다.

싱글 때 2년 동안 지냈던 네팔에서 만난 사람들, 결혼 후 어린아이와 함께 첫 해외 생활을 했던 치타공에서 만난 사람들, 두 아이의 엄마가 되어 지루하게 지냈던 다카에서 만난 사람들, 아는 사람 하나 없던 뭄바이에서 그나마 관계를 맺었던 교회 사람들, 뉴델리에 와서 새롭게 만난 사람들까지.

내 핸드폰엔 여러 나라에서 만난 사람들의 연락처가 여전히 저장되어 있다. 여전히 연락하며 지내는 사람이 있는가 하면 추억은 있되 연락은 잘 하지 않는 사람도 있다. 잊을만하면 안부를 묻는 사람도 있고, sns로 간간이 소식을 주고받는 사람들도 있다. 한국으로 귀국한 사람들도 있고 우리처럼 다른 나라로 떠나 새로운 삶을 사는 사람들도 있다.

이들에게 나는 어떤 사람으로 기억될까?
지금의 내 모습은 그들에게 어떻게 비칠까?

과거의 나는 지금보다 많이 소심했다. 사람들 앞에 나서는 것도 싫어했고, 내성적인 성격 때문에 말하는 것도 부끄러웠다.

지금의 나는 글을 쓰고, 강의를 하고, 모임을 만들고, 리더 역할을 한다.

한 송이의 꽃만 있을 때는 그 꽃의 세세한 것을 볼 수 있다.

꽃잎 몇 개가 모여있는지, 어떤 모양으로 겹치는지 관찰할 수 있다. 어떤 색깔로 이루어져 있는지, 꽃대가 어떤 모양인지, 꽃술이 어떻게 생겼는지 자세히 볼 수 있다.

하지만 한 대 뭉쳐 있는 꽃다발을 멀리서 바라볼 때는 꽃의 아름다움만 눈에 들어온다. 꽃 하나하나에 깃든 흠이나 작은 결점은 보이지 않는다.

sns를 통해 간간이 소식을 듣는 사람들이 나를 볼 때 이렇게 보이는 건 아닌지….

과거의 나와 지금의 나를 비교하며 지나치게 칭송하거나 소심했던 내 모습은 가짜였다고 생각할지도 모르겠다. 다수에 묻힌 내 결점은 눈에 띄지 않을지도 모른다.

이것도 저것도 모두 내 모습이지만, 아직도 많이 부끄럽다. 지금의 나는 여전히 소심하고 내성적이지만, 조금 단단해졌을 뿐이다.

이래도 저래도 나를 잊지 않고 기억해 주는 것은 정말 감사한 일이다.

그녀의 프로필 사진엔 아이의 사진이 있었다. 아무리 봐도 도대체 누군지 모르겠다.

'어디서 만난 사람이지? 나를 어떻게 알지?'

프로필 사진을 내려보며 좀 더 자세히 뜯어보았다. 그중에 아이의 이름을 발견했다.

아!! 이제야 기억났다.

뭄바이에서 함께 구역예배를 드렸던, 내 큰아이와 같은 나이의 딸을 키우던, 남편을 따라 잠시 인도에 왔던, 한국에 돌아가 다시 일을 해야 하는 것을 걱정했던, 바로 그녀였다!! 그 이름을 새까맣게 잊어버렸다니…. 하마터면 "누구세요?"라고 물어볼 뻔했는데, 단 하나의 단서 덕분에 기억의 물꼬를 터트렸다. 그제야 그녀에게 안부를 물으며 아는 체를 했다.

인도 뉴스를 보고 걱정이 되어 연락했다고 했다. 조심히 잘 지내라며 걱정해 주었다. 한국에 오면 연락하라는 말과 함께.

물망초의 꽃말은 '나를 잊지 말아요' 이다.
스쳐 간 인연들에게 잊혀도 괜찮다 생각했는데,
나를 기억해 주는 사람을 만나니 참 좋다.

추억

행간에 숨어 있는

복잡하지만 단순한 진심.

그건 바로 당신이 행복하길 바라는 마음입니다

영원한 행복
에키네시아

따뜻한 봄날, 밭에서 일하던 할머니가 옆에서 일하던 엄마에게 말했다.

"아야, 나 좀 어지럽다."

"오메, 어무이. 퍼뜩 인나시소. 병원 가 봐야것네요. 언능 갑시다."

여든이 넘었던 할머니는 읍내에 있는 가장 큰 병원에 입원해 이것저것 검사를 했다. 이때껏 노환으로 거동이 조금 불편할 뿐, 고혈압이나 당뇨도 없었다. 무릎이 아파 병원에 다녔지만, 큰 질병은 없었다.

하지만 그날, 할머니는 뇌졸중 판정을 받았고, 병원에 입원했다. 할머니와 통화할 때, 할머니의 목소리는 전혀 아픈 사람 같지 않았다. 약간 발음이 어눌한 정도였으니까.

할머니가 병원에 머물러 있었던 그때, 시골집에 불이 났다. 안방에서 시작된 전기 합선 때문이었다. 안방이 홀라당 타버렸고, 작은 방 절반을 남겨놓고 겨우 불길이 잡혔다. 다행히도 집엔 아무도 없었다.

다음날 할머니의 상태가 갑자기 나빠졌다. 갑자기 타버린 집처럼 할머니는 갑자기 돌아가셨다.

엄마와 산 세월보다 할머니와 산 세월이 더 길었다. 내 사춘기 시절, 내 대학 시절, 내가 취업을 해 첫 월급을 탔을 때도 내 옆엔 할머니가 계셨다. 나는 할머니 장례식장에 가서 울고 울고 또 울었다. 그때 내 뱃속에는 첫 아이가 무럭무럭 자라고 있었다.

할머니를 하늘나라로 보낸 후, 엄마는 불에 타버린 집 마당에서 새벽 하늘을 올려다보며 삶의 허망함을 깨달았다. 아빠는 불로 타버린 집터를 놔두고 마을 입구에 있던 마늘밭에 새로운 집을 지었다. 엄마는 마당 주위에 꽃과 나무를 잔뜩 심었다. 그 중엔 이름은 모르지만, 익숙한 꽃이 있었다.

굳이 이름을 알지 않아도 크게 상관없는 꽃들이 있다. 들꽃이라고 뭉뚱그려 불리는 꽃들이다. 그렇다고 꽃 이름이 없는 것도 아니다.

엄마가 심은 그 꽃의 이름은 에키네시아이다. 들꽃인 줄만 알았는데 이런 고급스러운 이름이 있었다니. 다년생 꽃으로 6월~8월에 만개한다. 이 꽃은 약으로도 사용되는데, 항바이러스제로 가장 널리 사용된다고 한다. 특히 미국에서는 감기나 초기 호흡기 질환의 상비약으로 많이 사용되고 있다.

이름도 몰랐던 꽃이 알고 보니 이렇게 귀한 꽃이었다.

에키네시아의 꽃말은 영원한 행복이다.

너무 거창한 꽃말에 웃음이 났다. 영원한 행복이라니. 어느 사이비 종교의 비전 같다는 생각이 들었다.

행복이란 주관적일 수밖에 없다. 우리 모두 행복하기 위해 살지만. 진짜 행복을 느끼며 살고 있을까?

공부를 잘하면, 대학에 가면, 취직을 하면, 결혼을 하면, 아이를 낳으면 우린 행복하게 될 거라 생각한다. 하지만 정작 이 모든 것을 이루었을 때 온전히 행복하다고 생각하는 사람은 드물다. 행복이란 어떤 조건이 아니라는 것을 우리 모두 아는 사실이다.

요즘은 그런 거창한 행복 말고 소소하지만 확실한 행복(소확행)을 위해 사는 사람들이 더 많다. 약간의 돈을 내고 배우는 취미, 조금의 돈으로 만족감을 느낄 수 있는 책 쓰기 모임, 성취감……. 이런 것들이 유행하는 이유는 잡히지 않는 큰 행복을 위해 오늘을 힘들게 살아 내야 하는 것 대신 손을 뻗으면 잡을 수 있는 작은 행복을 누리며 사는 것이 진짜 행복이라는 것을 알게 되었기 때문인 것 같다.

에키네시아의 꽃말은 그런 의미에서 거창한 뜻이 아닌 것 같다.

주위에서 쉽게 볼 수 있는 꽃, 우리 엄마 마당에 피어 있는 꽃, 이름은 모르지만 어쩐지 눈에 익은 꽃.

그게 영원한 행복일까?

오늘은 큰아이의 생일이다. 이상하게 이맘때가 되면 할머니 생각이 난다. 할머니에게 내 아이를 보여드리지 못했기 때문인 것 같다. 난 너무나도 당연하게 할머니가 내 아이를 만나볼 수 있을 거라 생각했다. 아이의 생일이 되면, 할머니와 함께 이 꽃을 기억하고 싶다.

할머니는 저 하늘나라 천국에서 영원한 행복에 이르렀을 테니.

저절로 자라나는 행복
민들레

큰아이가 다섯 살, 둘째가 세 살 때 시골 친정집에서 팔 개월 정도 지냈다.

열세 살에 부모님 품을 떠나 살다가 방학이나 휴가 때만 가끔 들러 지냈었는데, 두 아이를 데리고 부모님과 몇 달을 지내려니 여간 힘든 게 아니었다.

남편은 서울, 본사 근처 원룸에서 지내다가 주말이면 고속버스를 타고 다섯 시간을 달려 우릴 보러 내려왔다. 몇 달 후 다시 방글라데시로 갈 계획이었기에 서로 힘든 시간이었지만 참고 견뎠다.

어른들과 다르게 두 아이는 시골의 모든 것을 만끽했다. 할머니 밭에서 땅을 파다 겨울잠에서 아직 덜 깬 개구리를 잡기도 하고, 할아버지 논두렁에 사는 도롱뇽을 잡기도 했다. 첫째 아이는 잠시 읍내에 있는 시골 어린이집에 다니면서 친구들을 사귀기도 했고, 둘째 아이는 온종일 뽀로로 책을 읽으며 지냈다.

친정집 앞마당엔 엄마가 심어 놓은 분홍 꽃과 함께 심지 않았지만 알아서 자리를 잡고 뿌리를 내린 노란 민들레가 피었다. 엄마는 민들레를 볼 때마다 뽑아내 잡초와 함께 버렸다.

하지만 바람을 타고 어디선가 날아온 민들레 홀씨는

담벼락 좁은 틈에,

돌멩이 사이에,

손길이 닿지 않는 마당 가장자리에,

몰래 다시 자리를 잡고 뿌리를 내렸다.

1998년 수능시험을 끝낸 후, 친구와 함께 찾아간 컴퓨터 학원에서 처음으로 인터넷이란 걸 접했다. 지금은 사라진 네띠앙 사이트에 회원 가입을 하면서 어떤 아이디를 쓸까, 한참 고민했다. 친구는 별생각 없이 자신의 생일과 이름을 조합해서 아이디를 만들었지만, 나는 그러고 싶지 않았다. 뭔가 특별한, 나를 닮은, 나를 나타낼 수 있는, 의미 있는 아이디를 만들고 싶었다.

현실에서의 내 이름은 '선량'이다. 그 이름은 다음엔 꼭 아들을 데리고 오라고 지어진 이름이다. 내 이름이지만 나를 위한 이름이 아니라 동생을 위한 이름이라는 생각 때문에 그 이름을 오랫동안 싫어했다. 눈꼬리가 처진 마냥 착해 보이는 얼굴도 싫었고, 나쁜 짓을 하면 절대 안 될 것 같은 내 이름도 싫었다. 남이 만들어 놓은 틀에 나를 가두어 두는 것 같았다. 그게 부모님일지라도….

온라인 세상에 새롭게 만들 정체성은 내가 직접 만들고 싶었다.

민들레가 떠올랐다. 민들레를 유독 좋아한 이유는 그 꽃이 꼭 나 같았기 때문이었다. 뽑고 뽑아도 다시 살아나는 꽃, 가벼운 바람에도 훨훨 날아가 새로운 삶을 시작하는 꽃. 화려하진 않지만, 강인한 꽃.

나는 민들레 같은 사람이 되고 싶었다.

인터넷에서 처음 만든 나의 정체성은 "dandelion"이었다.

다섯 살이었던 딸아이는 애쓰지 않아도 알아서 자라나는 행복을 무심히 지나치지 못했다. 기어이 홀씨를 꺾어 한 손에 들고 후~ 불어 홀씨가 제 길로 가는 걸 뒤돌아서서 지켜보았다.

열한 살이 된 지금도 아이는 민들레 홀씨를 무심히 지나치지 못한다. 기어이 홀씨를 손에 들고 후~불고는 갈 길을 간다. 멀리멀리 날아가는 홀씨를 보며 또 몰래 자리를 잡고 뿌리를 내릴 것이다. 그리고 또다시 샛노란 꽃을 피우고, 새하얀 솜털을 흔들며 길을 가는 내 아이를 유혹하겠지. 애쓰지 않아도 저절로 자라는 민들레처럼, 눈에 보이지 않아도 알아서 퍼져가는 홀씨처럼.

행복도 우리의 일상 틈 사이에서 자라나고 있을 것이다.

부모님과 함께했던 8개월이 힘겨웠지만, 지금 생각해 보니 행복이었고 감사였다.

행복이란, 애쓰지 않아도 저절로 피어나는 민들레일까?

그 행복의 조각을 지나치지 않고 멈추어 서서, 후~ 불어 보는 일은 우리의 몫일까?

내 아이는 이미 그걸 알고 있었는지도 모르겠다.

어른이 될수록 행복의 기준이 점점 높아지는 건, 우리 어른들의 잘못인지도.

지금은 사라져 버린 네띠앙과 함께 내 첫 번째 인터넷상의 정체성도 사라졌다. 두 번째로 만든 내 인터넷 세상의 주소는 'daum'이었고, 아이디는 온유한 사람이 되고 싶은 마음에 'onyouhe'라고 지었다. 그 아이디를 20년째 사용하고 있으니, 나는 이제 온유한 사람이 된 것만 같다.

그렇게 싫었던 내 진짜 이름 "선량"을 sns상의 닉네임으로, 온라인 글방 이름으로, 저자 필명으로 사용하고 있으니, 결국 부모님이 지어주신 그 이름이 나를 가장 잘 나타내는 정체성이 되었다.

행복 or 행운
토끼풀

학창 시절, 초록 초록한 풀밭에 주저앉아 눈을 동그랗게 뜨고 풀 사이를 손으로 헤집어 본 경험이 있는지? 겨우 찾아낸 네잎클로버를 한 손에 들고 환한 미소를 지어본 적 있는지?

코팅지가 흔하지 않았던 시절, 투명 유리 테이프를 반듯하게 잘라 네잎클로버 앞뒤로 붙인 뒤, 다이어리 사이에 껴 놓았었다. 아니, 짝사랑하던 그에게 무심한 듯 쓴 손 편지와 함께 보냈던가? 지금은 어디로 갔는지도 모르는 네잎클로버는 행복한 추억만 남겨 놓았다.

가만히 눈을 감으면 어린 시절의 내 모습과 친구들의 모습이 떠오른다.

시골 학교에는 나무와 풀이 많았다. 운동장에 잡초가 자라면 전교생이 운동장에 나가 잡초 제거를 해야 했다. 운동장을 벗어나면 큰 나무들이 우거져 있었는데, 그 아래엔 여러 풀이 자라고 있었다.

질경이 풀로 제기를 만들어 제기차기를 하고, 큰 나무에서 떨어진 새 똥처럼 생긴 버찌를 찾아 입 안에 쏙 넣었다. 검붉을수록 단맛이 났는데, 조금 덜 익은 열매는 코끝이 찡하도록 시었다. 한쪽에는 토끼풀이 자라고 있었는데, 여자 친구들끼리 바닥에 주저앉아 토끼풀과 꽃으로 화환을 만들었다. 남자아이들은 지나가는 개미를 잡거나 공을 차거나 그냥 시끄럽게 떠들었다. 아담하지만 소란한 학교의 모습과 친구들의 모습이 너무 선명하게 다가와 그리움이 진해질 때즘 눈을 떴다.

내 앞엔 언제 이렇게 커버렸는지, 새삼스러운 두 아이가 시끄럽게 떠들고 있다.

네잎클로버를 찾으려고 얼마나 많은 세잎클로버를 헤집었는지 모르겠다. 겨우 찾아낸 행운의 네잎클로버를 소중한 듯 간직했지만, 세월이 흐른만큼 그 의미도, 존재도 사라져 버렸다.

네잎클로버의 의미는 행운이고, 토끼풀의 꽃말은 행복이다.

내 눈앞의 토끼 같은 아이들이 결국 행복이요, 가장 큰 행운이라는 것을 되새긴다.

언제까지나 사소한 행복만 좇으며 살 순 없지만,

오늘 하루만큼은 언제 올지 모르는 행운보다 이미 존재하는 행복을 바라보겠다.

누군가는 밀라노에서 살고 있는 내가 부럽다고 생각할 것이다. 하지만 나는 또 다른 누군가를 부러워한다. 내가 가지고 있는 것들은 미미해 보이기만 하고, 행복이라는 개념도 너무 주관적이어서 지금 내가 행복한지 아닌지 따질 수가 없다.

누군가가 만들어 놓은 객관적인 지표를 체크하면서 그제서야 내가 가지고 있는 유무형의 것들이 거져 오는 것이 아님을 느낀다.

나보다 더 많이 가진 자와 비교만 하지 않는다면, 조금 더 행복할지도 모르겠다.

결국 불행은 행운을 거머쥐기 위해 짓밟은 세 잎 클로버만큼 일지도 모르겠다.

열정의 꽃
부겐빌레아

인도에 산 지 3년째가 되었을 때였다. 무더운 날씨도, 자주 끊어지는 인터넷 사정도, 아침이면 피어오르는 향냄새도 익숙해졌다.

인도 사람들은 꽃을 좋아한다. 집집마다 꽃과 식물을 키우고, 정원사를 따로 고용해 옥상이나 정원에 화단을 가꾼다. 담벼락에 화려한 꽃과 나무를 심고, 사시사철 꽃이 끊이지 않는다.

그중에서도 가장 많이 보이는 꽃이 바로 부겐빌레아이다.

부겐빌레아는 아열대 지방에서 자라는 꽃으로 추운 겨울을 제외한 계절에 꽃을 피운다. 인도는 일 년 중 추운 날이 두 달 정도뿐이기 때문에 일 년 내내 이 꽃을 볼 수 있었다.

꽃 색깔도 매우 다양하다. 분홍색이 가장 일반적이지만, 흰색, 빨간색, 주황색 등 다양한 색깔의 꽃을 피운다.

그런데 사실, 이 화려한 잎은 꽃잎이 아닌 포엽이다. 꽃을 감싸고 있는 이파리인데, 진짜 꽃은 이 화려한 포엽 안에 쌓여 있다.

포엽을 자세히 보면 종이처럼 얇고, 비단처럼 곱다. 그래서 paper flower라고도 불린다. 포엽을 들추고 안을 들여다보면 보잘것없는 모양의 진짜 꽃을 볼 수 있다. 흰색의 긴 대롱처럼 생긴 꽃이다. 부겐빌레아는 꽃이 화려하지 않기 때문에 일부러 화려한 포엽이라는 옷을 입은 것처럼 보인다. 그것으로 벌이나 나비를 유혹하는 것이다.

열정의 꽃 부겐빌레아는 뜨거운 태양 아래서도 시들지 않는다. 오히려 열정을 불태우듯 화려한 모습을 피우고 미련 없이 땅으로 떨어진다. 땅에 떨어진 꽃 또한 꽃비처럼 예쁘다.

뉴델리에서 지내던 어느 가을날, 그곳에서 만난 친구와 함께 부겐빌레아 공원에 다녀왔다. 공원 가득 화려한 꽃이 피어 있었다. 여기저기 떨어진 꽃을 손 위에 올려도 보고, 꽃이 가득 피어 있는 가지를 들고 사진도 찍었다. 한

번 더 꼭 오자고 약속했는데, 코로나 때문에 그 약속은 지키지 못했다. 그 친구는 5년간의 휴직을 마치고 한국으로 돌아가 회사로 복귀했고, 나는 3년 동안의 인도 생활을 마치고 밀라노로 왔다.

뉴델리에서 함께 카페를 찾아다니고, 꽃을 보러 가고, 오래된 골동품 가게를 누비고 다니던 우리는 이제 더 이상 연락을 하지 않는다.

가끔 그녀가 내 블로그에 '좋아요'를 누르고, 나 역시 그녀의 블로그를 보며 어떻게 지내는지 궁금증을 해소한다. 지내는 공간이 달라지면, 관계의 원근도 달라진다는 사실을 새삼 깨닫는다.

부겐빌레아를 그리며 지난날 열정을 다해 살았던 나를 토닥였다.

나에겐 화려한 포엽 같은 배경은 없지만, 꾸준함은 있으니, 다음 해에도 지치지 말고 꽃을 그리고 마음을 쓰는 사람이 되자고 다짐했다.

열정의 꽃을 손 위에 올리고 움켜잡았다.

이 꽃의 열정이 나에게도 전해지기를 바랐다.

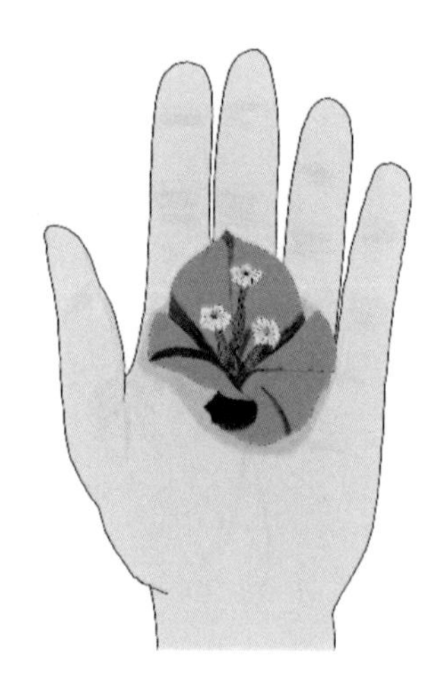

5월에 전하는 편지
카네이션

유난히도 뒤숭숭한 5월이었다. 세상일이 조용한 적이 없었지만, 요즘 더 시끄러운 이유는 마음의 소리 때문인 것 같았다.

꿈을 꾸었다.

꿈속에서 엄마는 밭에 일을 하러 간다며 구부정한 다리를 내디디며 챙이 넓은 꽃무늬 모자를 쓰고 호미를 한 손에 들었다. 꿈속에서조차 엄마는 밭일을 해야 한다 하셨다.

'엄마는 왜 그렇게 일을 할까? 이렇게 해가 쨍쨍한데 왜 뙤약볕 아래서 몸을 혹사 시킬까?'

어린 시절의 나는 알지 못했다.

엄마가 된 지금은 알 것 같다. 아무리 덥고 힘들어도 일을 하러 가는 이유를….

그건 바로 자식 때문이었나 보다.

인도 코로나 때문에 세상이 난리지만, 엄마이기 때문에 오늘도 정신을 차리고 이런저런 일을 하며 살아가는 것이다.

5월은 너무 바쁜 날이었다. 어린이날을 챙겨 받진 않았지만, 그즈음에 꼭 운동회를 했다. 운동회를 하는 날이면 엄마, 아빠가 김밥과 사이다를 들고 학교에 와 자리를 잡고 앉아계셨다. 우리의 모습을 보러 오신 건지, 동네 아줌마 아저씨들과 놀러 오신 건지 알 수 없었지만…. 운동회에 온 부모들의 가슴엔 하나같이 모조 카네이션이 붙어있었다. 그건 마치 '나는 학부모다'라고 자랑스럽게 말하는 것 같았다.

달리기를 꽤 잘하는 편이어서 곧잘 1등을 하곤 했다. 손등에 1등 도장을 받고 나중에 노트나 스케치북 같은 상품으로 바꿨다.

그보다 더 좋았던 건, 운동회 날만 되면 오던 장사치들의 물건이었다. 50원짜리 장난감의 좋고 나쁘고의 차이는 종이 한 장 정도의 차이일 텐데, 이걸 집었다 저걸 집었다 하며 고르던 고사리 같은 손들.

오렌지 맛 아이스크림이나 콜라 맛 아이스크림이나 그 맛이 그 맛일 텐데, 작은 아이스 상자에 손을 넣고 재빠르게 원하는 맛의 아이스크림을 집어 가던 번개 같은 손들. 이미 아이스크림을 반쯤 먹어 치운 아이들의 손은 끈적끈적했고, 입술은 빨갛거나 노랗게 물들었다.

내가 좋아하던 아이스크림은 멜론 맛 셔벗 아이스크림이었다. 그건 싸구려 막대 아이스크림이 아니었다. 주먹보다 작은 초록색 플라스틱

통에 들어있던 고급스러운 아이스크림이었다. 뚜껑을 따고 나무 숟가락으로 퍼먹으면 입안에서 살살 녹던 그 맛. 그래서 가격도 두 배였다. 생경한 외국 과일인 멜론을 먹어본 적 없었던 우리는 “그 맛이 진짜 멜론 맛인가 보다” 하고 생각했다.

스피커로 시끄럽게 들려오던 어린이날 노랫소리, 4학년 모이라고 소리치던 선생님의 목소리, 여기저기 아이들을 채근하는 부모들의 소리, 아이들의 울음소리, 고함소리….

5월은 그렇게 왁자지껄 시끄러웠다.

어린이날과 어버이날을 운동회로 퉁치고 지나가면 스승의 날이 다가왔다. 그날엔 아이들이 들꽃을 꺾어다 선생님께 드렸다. 나는 스승의 날이 되면 가슴이 두근거렸다. 다음 날이 내 생일이었기 때문이다.

생일이라고 해서 케이크나 선물을 받을 수 있었던 것은 아니었다. 가장 바쁜 날 태어난 것이 괜히 미안해 사람들에게 말하지도 못했다. 이런저런 날들을 챙기느라 지갑이 가벼워졌을 것이다. 그래서 내일이 내 생일이라고 친구들에게조차 말하지 못했다. 지금은 그게 참 아쉽다. 생일이 별거 아닌 것처럼 생각하다 보니 내 존재에 대해서도 별것 아닌 것처럼 생각하게 되는 것이었다. 어째서 나는 나 스스로를 하찮게 생각했던 것일까? 모든 존재에는 이유와 목적이 있을 것인데, 왜 나는 그걸 알지 못했을까?

두 아이를 배 아파 낳고, 키워 본 후에야 알게 된 존재에 대한 묵직한 책임감을 ‘생일’에 담아 전한다는 것을 알게 된 어른이 되었다.

고향 동네에 코로나 확진자가 많이 발생했다는 뉴스를 보고 걱정이 되어 엄마에게 영상 통화를 걸었다. 엄마는 꿈속에서처럼 챙이 넓은 꽃무늬 모자를 쓰고 밭에 앉아 있었다. 뉴델리에 사는 딸은 엄마 괜찮으시냐 안부를 물으며 읍내엔 가지 마셔라, 몸 조심하셔라 걱정을 했다. 그리고는 함께 깔깔깔 웃었다.

고향 뉴스 하나만 봐도 이렇게 가슴이 덜컥하는데, 쏟아지는 인도 뉴스에 엄마는 얼마나 심장이 벌렁거릴까? 그 생각을 하니 눈물이 핑~ 돌았다.

부모의 마음은 다들 비슷할 것이다. 자식이 안전하기를 바라는 마음, 잘 지내기를 바라는 마음.

그 마음을 담아 모든 부모들에게 카네이션을 전한다.

행복

믿고 기다리는 것이 있나요?
아네모네

이른 아침, 베란다 문을 열었다.

상쾌한 새벽 공기를 기대했건만, 진득하게 타는 듯한 냄새가 코끝으로 전해졌다. 뿌연 연기가 고요한 도시를 감싸고 있다. 안개와는 사뭇 다른 느낌이다.

묘한 기분이 들어 얼른 문을 닫았다.

'럭 다운된 지 2주가 넘었는데, 왜 공기가 나쁠까? 사람과 자동차가 멈췄으니, 공기가 좋아져야 하는데….'

뉴스에서 본 모습이 퍼뜩 떠올랐다. 길거리에 시체가 누워있는 모습, 화장터 가득 시신이 타고 있는 모습….

내가 마시고 있는 공기 중에 코로나로 희생된 시신들의 연기가 맴돌고 있다 생각하니, 섬뜩한 마음이 들었다. 문을 굳게 닫고, 집안에 웅크리고 앉아 들숨과 날숨을 쉬며 오늘도 평안하게 하루를 시작했음에 안도했다.

인도는 삶과 죽음, 부와 가난, 옛것과 새것이 공존하는 나라이다. 지금 그것을 나누는 경계는 더욱 불분명해졌고, 차이는 극도로 심해졌다. 부를 가진 자들은 이미 이곳을 떠나 해외로 피신을 했다고 한다. 남아 있는 자들은 떠나지 못한 자 또는 우리처럼 떠나지 않은 자들이다.

친한 학교 선생님 한 명이 지난주에 코로나에 확진되었다. 프랑스어 보조 선생님으로, 모국어가 프랑스어가 아닌 아이들을 대상으로 정규 수업 시간 외에 추가로 수업을 해 주는 선생님이다. 내 두 아이 모두 그 선생님의 학생이다. 선생님의 확진으로 수업은 모두 취소되었다.

이번 인도 변이 바이러스는 유독 젊은 사람과 아이들 감염률이 높다. 젊은 사람들 중에서도 호흡기가 약한 사람들은 심각한 증상으로 갈 수 있어서 마음을 놓을 수가 없다.

그녀에게 안부를 묻고 싶었지만, 물을 수가 없었다. 두려웠다. 혹시나 좋지 않은 소식을 들을까 봐, 많이 아프다는 말을 듣게 될까 봐 연락을 할 수가 없었다.

한국에 있는 친구에게서 연락이 왔다. 진작 연락을 하고 싶었는데, 너무 걱정이 돼서 못했다고 했다. 괜찮지 않은데 너무 괜찮다고 할까 봐, 힘들게 지낼 것이 뻔한데, 잘 지낸다고 할까 봐 연락을 못했다며 울음을 터뜨렸다.

그녀의 마음이 너무 고마워 나는 더 괜찮다고, 잘 지낸다고 말했다.

사실 우리는 괜찮지 않으면서 괜찮고, 잘 지내지 못하면서 잘 지낸다.

친구의 연락을 받은 후, 학교 선생님인 그녀가 더 생각났다. 그리고 용기를 내어 메시지를 보냈다.

"좀 괜찮나요? 당신과 당신 가족들이 모두 잘 지내기를 진심으로 바랍니다."

"쏘냐, 고마워요. 어제까지는 많이 아팠는데, 오늘부터 조금씩 좋아지기 시작했어요. 당신도 잘 지내길 바라요."

"오, 하나님, 감사합니다. 잘 회복되길 바랄게요. 몸조심해요."

간절히 믿고 기다린 그녀의 소식을 들은 후에야 깊은 안도의 숨을 내쉬었다.

아네모네는 슬픈 전설을 가진 꽃이다.

미의 여신 아프로디테가 에로스의 화살촉에 가슴을 살짝 스쳤는데, 그때 아도니스를 보게 되었다. 아프로디테는 아도니스와 사랑에 빠지게 되었고, 항상 그와 함께 지냈다. 그러던 어느 날, 아프로디테가 잠시 자리를 비운 사이 아도니스 혼자 사냥을 가게 되었다. 하필 멧돼지의 공격을 받게 되었고, 그 자리에서 피를 흘리며 죽고 말았다. 나중에 이 사실을 알게 된 아프로디테는 아도니스가 죽은 그 자리에 꽃이 피어나게 했다. 아도니스의 붉은 피로 물든 꽃이 바로 아네모네가 되었다는 전설이다. 그래서 붉은 아네모네는 '허무한 사랑' 또는 '속절없는 사랑'이라는 꽃말을 가졌다.

아네모네꽃 색깔은 여러 개가 있고 색깔별로 꽃말이 조금씩 다르다. 그중에 보라색 아네모네의 꽃말은 '당신을 믿고 기다립니다' 이다. 아도니스는 죽음의 순간에 아프로디테를 믿고 기다린 것은 아닐까?

나 역시 누군가를 믿고 기다린 적은 많다.

그 믿음과 기다림이 항상 좋았던 것은 아니다. 기대와 다른 결론이 나기도 했고, 믿음을 저버린 경우도 있었다. 그런 경우에는 관계를 계속 유지하기 힘들었다. 내가 먼저 관계를 끊진 않았지만, 수동적으로 아무것도 하지 않음을 선택하니 저절로 관계가 정리되었다.

여러 관계 중에서도 믿고 기다림의 결실이 맺어진 건 남편이다. 오랜 장거리 연애, 결혼 후 해외 취업으로 떨어져 지내야 했던 시간들 모두 서로에 대한 신뢰가 없었다면 믿고 기다릴 수 없었을 것이다.

나는 지금 간절하게 믿고 기다린다.
기다리고 기다리면
긴 터널의 끝이 보이기를,
그 터널의 끝엔 절망이 아닌, 희망이 있기를
붉은 아네모네가 아닌
보랏빛으로 물든 아네모네가 있기를
소중한 사람에게 평안이 찾아오기를,
이것은 신뢰를 넘어선 강한 열망이다.
또한 모두의 바람이기도 하다.

고요함이 맴도는 아침, 내일은 부디 자욱한 연기의 자취가 조금 덜하기를, 생과 사에서 부디 생으로의 무게가 더 하기를, 남겨진 가족들의 삶의 무게는 바람을 타고 조금이라도 가벼워지길,

나에게 허락된 삶이 부디 가볍지 않기를….

"길가에 놓여 있는 한낱 돌멩이라도 나보다는 더 강하리라!
숲 속의 나무들도 나보다는 더 오래 살리라!
더구나 작은 딸기나무 한 떨기, 연분홍 빛을 발하는 아네모네조차
그러하리라."

- 어쩌면 괜찮은 나이, 헤르만 헤세 -

치밀어 오르는 슬픔도,

유한할 것 같은 기쁨도,

영원하지 않음을 아는 것,
회복은 거기서부터 시작합니다

강인함과 치유의 꽃
캐모마일

지난 한 해를 떠올려 보면 역시 힘들고 어려웠던 일들이 가장 먼저 떠오른다. 그 누구도 피해 갈 수 없는 바이러스의 공포는 우리의 몸뿐만 아니라 마음마저 꽁꽁 얼어붙게 만들었다.

여전히 사그라질지 모르는 바이러스.

재난 영화의 소재로만 사용될 줄 알았던 바이러스가 우리의 실생활이 될 줄은 꿈에도 몰랐다. 영화엔 꼭 영웅이 등장해 백신을 만들어 내고 이 지구를 구하던데. 지금 어딘가에선 그런 영웅들이 지구를 지키기 위해 안간힘을 쓰고 있을까?

새해가 밝았지만, 마음 한구석이 허전하기만 하다. 바닥에서 올라오는 냉기가 마음에까지 이르러 자꾸만 나를 잡아끈다. 새벽에 일어나 기도와 묵상으로 시작하려 했던 새해 다짐은 하루 만에 실패했다. 눈을 떠보니 이미 7시가 넘었다. 가족들이 일어나기 전에 뭐라도 해보려

눈을 비비고 거실로 나왔다. 밤새 차가워진 거실의 냉기가 한꺼번에 내 숨으로 들어왔다.

인도는 매우 더운 나라지만, 확실한 겨울이 있다. 한국에 비할 바 못 되지만, 몇 달 동안 더위에 시달리다가 갑자기 차가워진 공기로 가득 차면 몇 배로 더 추워지는 것이다. 대리석 바닥은 여름엔 시원하고 좋았지만, 겨울엔 치명적으로 차갑다. 양말을 신고 슬리퍼를 신어도 그 차가움이 피부를 뚫고 혈관을 타고 가슴까지 전해지고 만다. 추위로 한껏 구겨진 몸을 따라 오르내리던 혈액이 바쁘게 맴돌다 허전한 마음에 들어선다. 허전한 마음 주위를 뱅글뱅글 돌며 속도를 줄이다 이내 제 갈 길로 바삐 떠난다. 허전한 마음은 더욱 진하게 팽창되어 공허해진다.

허전함과 공허함의 이유는 모르겠다.

인도 코로나 확진자가 너무 많아지기 시작했고, 급기야 학교도 마트도 모두 문을 닫았다. 아이들과 함께 집안에 웅크리고 지내야 하는 시간은 참을 수 없을 정도로 고달팠다. 온라인 수업을 하고, 과제를 하는 과정 중에 아이도 나도 스트레스를 몽땅 받았다. 목소리는 뾰족해졌고, 걸음걸이는 무거웠다. 쿵쾅거리는 손놀림은 스트레스의 무게만큼 느려졌다.

이번 여름엔 한국에 갈 수 있을까?

코로나는 잠잠해질까?

더 이상 오지 않는 비행기는 다시 뜰까?

엄마를 보러 갈 수 있을까?

아직 오지도 않은 계절을 헤아리며 전기 포트에 물을 데웠다. 예쁜 찻잔을 꺼내 뜨거워진 물을 가득 부었다. 어떤 차를 마셔볼까? 그래, 오늘은 향기로운 캐모마일을 마셔야겠다.

캐모마일은 사과 향이 나는 국화과에 속한다. 꽃차로 가장 유명하며 일 년 내내 피는 꽃이기도 하다.

캐모마일은 많이 밟아 줄수록 더 잘 자란다고 한다. 그래서 “역경에도 굴하지 않는 강인함”이라는 꽃말을 가지고 있다.

캐모마일 차를 마시며 이 꽃의 강인함이 한없이 구겨진 내 몸과 마음을 펴주기를 바랐다.

날카로운 목소리가 뭉툭해지기를 바랐다.
무거운 발걸음이 가벼워지기를 바랐다.
쿵쾅거리는 손놀림이 짝짝거리기를 바랐다.
무겁게 내려앉은 스트레스가 가볍게 날아가기를 바랐다.

캐모마일의 효능은 꽤 많다. 숙면, 생리통 감소, 염증 감소, 골다공증 예방, 암 예방, 긴장 완화 등. 그래서 꽃말이 치유이기도 하다. 규칙적으로 마시면 몸과 마음이 강하고 튼튼해질까?

혼자서는 하지 못할 일을 함께라면 할 수 있는 것처럼. 코로나 시대를 살고 있는 우리도 함께 손잡고 간다면, 결국 이겨낼 수 있지 않을까?

치유

따뜻한 차를 홀짝이니 온몸 구석구석 따듯한 기운이 전해졌다. 허전한 몸과 마음에 보송한 이불을 덮었다. 삐걱거리는 소파에 앉아 두 눈을 감았다. 그리고 간절히 기도했다.

이 세상이 깨끗이 치유되기를.
힘든 시간을 이겨내고 다시 일어설 수 있기를.

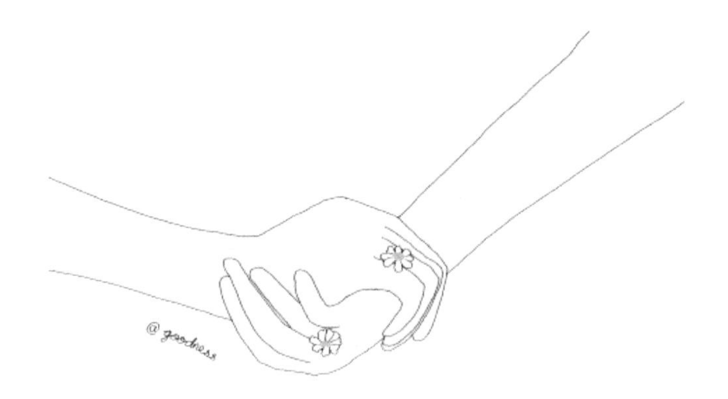

당신에게 행운이 오기를
붓꽃

제목을 썼다 지웠다. 이렇게 써도 이상하고, 저렇게 써도 이상하다. 식상한 제목은 싫은데 그렇다고 딱히 참신한 제목이 떠오르지도 않는다. 에라 모르겠다, 그냥 기본으로 해야겠다.

첫 문장을 썼다 지웠다. 다시 썼지만 영 이상해 다시 지웠다. 멍~하니 화면을 바라보다가 노트북을 껐다. 오늘은 도저히 안 되겠다. 내일은 쓸 말이 생각나겠지….

그런 날들이 있다.

쓰고 싶은 글감과 소재는 있는데 글이 써지지 않는 날.

불특정 다수의 독자를 생각하며 써야 하는데, 유독 떠오르는 사람이 있어서 자꾸만 글이 한 방향으로 향하는 날.

지금이 그런 날이다.

SNS 특성상 올라오는 게시글만 봐서는 상대방이 어떤 사람인지, 뭘 하는 사람인지 알기 힘들다. 서로 맞팔을 하고, '좋아요'를 누르고, 댓글을 달고, 대댓글을 달지만 SNS 인간관계는 종이처럼 얇다. 언팔을 하면 그만이니까.

하지만 온라인상에서 만난 인연이라도 유독 끌리는 상대가 있기 마련이다. 나는 브런치 작가님들을 인스타그램에서 만나면 유독 반갑고 아는 사람처럼 끌린다.

그렇게 그녀를 알게 되었다.

그녀의 정체성은 '출간을 앞두고 있는 브런치 작가'였다. 그럼 또 열심히 출간을 축하해 줘야 하는 법! 이왕이면 책도 사서 읽고, 서평도 쓰고 홍보도 해주면서 나름의 유대관계를 유지한다. 그런데 출간을 앞둔 책의 제목을 보고 눈이 떨어지지 않았다. "암과 살아도 다르지 않습니다."

둘째 언니가 유방암 판정을 받고 수술을 했다. 다행히 전이되지 않아 항암치료는 하지 않아도 되었고, 방사선 치료만 하면 된다고 했다. 언니가 암에 걸린 후, 암과 관련된 책이나 사람들이 유독 눈에 밟혔다. 어쩌면 당연한 이끌림 일지도 모르겠다.

그녀의 브런치와 블로그, 인스타그램 글을 읽으며 내가 할 수 있는 건 '좋아요'를 누르는 일뿐이었다. 같은 여자로서, 엄마로서, 아내로서 그녀가 가지고 있는 불안과 행복 사이의 줄다리기가 너무 선명해 울컥했다.

그녀의 게시물에서 본 꽃 사진 하나.

아픈 이후 충동적인 사람이 되었다는 그녀의 말 한마디.

아침에 눈을 뜬 후 느닷없이 붓꽃이 보고 싶어 꽃을 보러 갔다는 글을 보고 나는 내 삶을 떠올렸다.

나중을 위해 참고 사는 일이 많다. 해보고 싶지만 아직은 아닌 것 같아서, 뭔가 사고 싶지만 돈을 조금만 더 모아서, 여행을 떠나고 싶지만 지금은 시간이 없어서 하지 못했다.

'나중에'라는 말처럼 막연한 말이 또 있을까?

내 아이는 항상 '나중에'가 정확히 언제냐고 반문하며 정확한 시간을 알려달라고 한다. 그러면 나는 저녁 먹은 후, 또는 잠들기 전 아니면 내일이라고 말한다. 하지만 나 스스로에게 던진 '나중에'는 정확한 시간이 없다. 확신이 없기 때문에 반문할 수조차 없다.

얼마의 시간이 흘러야 나중은 지금이 될까?

과연 하고 싶은 일들을 다 해볼 수 있는 날이 올까?

하고 싶은 일들을 노트에 적었다. 부득이한 환경 때문에 할 수 없는 일은 제외하고, 지금 당장 할 수 있는 일이 무엇인지 헤아렸다. 작가님처럼 조금은 충동적으로 살고 싶어졌다.

나는 사람들과 함께 글을 쓰고 싶었다. 바로 "선량한 글방" 기획서를 만들었다. 2021년 봄, 뉴델리는 코로나로 아비규환이 되었고, 나는 다시 한 발짝도 나가지 못하게 되었지만, 온라인 속의 나는 여전히 자유롭고 명쾌했다.

온라인 글방 모집 공고문을 만들어 여러 SNS에 올렸다. 가슴이 두근거리고 손이 벌벌 떨렸다. 과연 할 사람이 있기나 할까? 나와 함께 글을 쓰고 싶은 사람이 있기나 할까? 인도에 사는 내가 할 수는 있을까?

나는 두려웠다. 하지만 지금 하고 싶은 일을 하고 싶었다.

그게 뭐든, 나중이 아닌 지금 여기서….

"아직은 날이 화창하고, 아직은 해가 지지 않았네.
아직은 오늘 그리고 여기가 우리를 붙들고 감싸주네"

<어쩌면 괜찮은 나이, 헤르만 헤세>

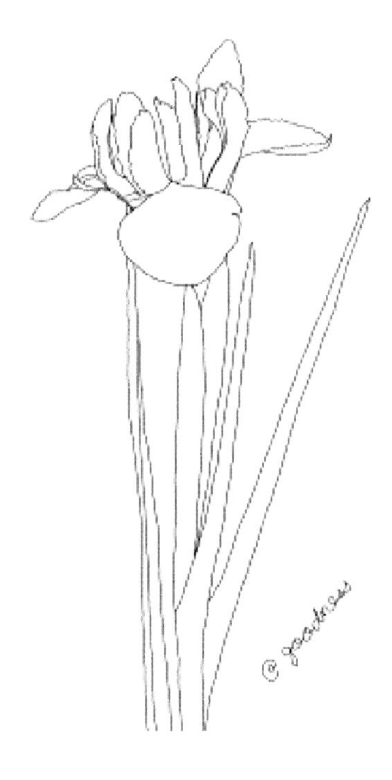

그녀의 삶이 어떤지도 모르고, 그녀를 한 번도 만난 적은 없지만, 모든 행운이 그녀에게 오기를 간절히 기도하며 보라색 붓꽃을 그렸다.

글의 제목을 다시 지웠다. 좀 더 임팩트 있는 제목을 쓰고 싶었다. 하지만 아무리 생각해도 떠오르지 않는다. 더 이상의 꾸밈은 통하지 않을 것 같다. 그냥 내 마음을 그대로 써야겠다.

당신에게 행운이 오기를, 붓꽃

사랑의 기쁨
재스민

요 며칠 자궁이 아프다.

배가 아픈 것도 아니고, 허리가 아픈 것도 아닌 자궁이 아픈 느낌은 여자이기에 느낄 수 있는 통증이다.

"엄마, 이제 아기를 낳지 않는데 아직도 자궁이 있어?"

신기한 듯 아이들이 묻는다.

두 아이를 출산했고, 더 이상 아이는 가지지 않을 생각이니, 자궁은 제 역할을 다했다. 있어도 그만, 없어도 그만인 기관이 되었다. 산부인과에서 간호사로 일했을 무렵, 자궁 적출 수술을 한 어머니들끼리 우리 모두 빈궁마마라며 웃었던 기억이 난다. 왠지 그 말이 쓸쓸하게 느껴졌었다.

그런 자궁이 자꾸만 자신의 존재감을 드러내며 통증을 유발한다. 병원에 한번 가봐야겠다는 생각만 수십 번. 선뜻 나서지 못하는 이유는 ….

모든 인간이 자궁을 통해 이 세상에 나왔지만, 비밀스러운 기관이기 때문이다. 자궁을 누군가에게 선뜻 보여주기는 쉽지 않다. 그게 의사라고 해도.

뜨거운 물을 끓였다. 넉넉한 컵에 뜨거운 물을 부었다. 좋아하지만 자주 가지 못하는 카페에서 사 온 재스민차를 꺼냈다. 돌돌 말려 콩처럼 생긴 재스민 다섯 알을 꺼내 뜨거운 물에 퐁당 담갔다. 이내 향긋한 향기가 코끝에 전해졌다.

재스민차는 찻잎에 재스민 꽃향기를 흡착시켜 만든 차로 중국에서 가장 유명한 차이다. 중국집에 가면 음식을 시키기 전에 주전자 가득 내오는 차이기도 하다.

재스민차의 효능은 체중감소, 심장보호, 구강 건강, 뇌 기능 향상이 있다. 그중에 가장 중요한 것은 바로 생리통 완화와 산후통 완화 효과이다.

따뜻하게 데워진 컵을 두 손으로 감쌌다. 따뜻함이 손끝에서부터 머리끝까지 전해졌다. 향기로운 향기를 맡으며 한 모금을 마셨다. 이 따뜻함이 내 자궁에까지 전해지기를 바랐다.

재스민꽃의 꽃말은 사랑의 기쁨이다.

이불을 돌돌 말고 잠들어 있는 사랑의 기쁨인 아이들을 위해서 다시 물을 끓였다. 밤 동안 차갑게 내려앉은 공기 때문에 이불을 박차고 일어나지 못하는 아이들에게 따뜻한 차 한잔을 내밀었다. 그러고 보니 아이들은 이 하찮은 자궁을 통해 세상 밖으로 나왔다.

13살에 초경을 시작했다. 몇 달만 있으면 중학생이 될 시기였다.

생전 처음 경험해 보는 생리통과 내 의지와 상관없이 흘러내리는 피는 겁먹기 충분했다. 성교육을 받아보지도 못했고, 누가 알려주지도 않았다. 그저 언니가 하라는 대로 할 뿐이었다.

배가 아파 이불을 덮고 누워있었는데, 내가 누워있던 그 자리에 빨간 피가 새어 나와 이불을 적시고 말았다. 그게 왜 그렇게 창피했을까? 내가 뭘 잘못한 것도 아닌데, 큰 잘못을 저지른 것처럼 내 마음도 붉게 변했다.

피에 젖은 옷과 이불을 직접 빨며 나의 첫 흔적을 지웠다. 그 뒤로 생리를 할 때마다 천장을 보고 누워 자지 못했다. 그 습관은 사십이 넘은 지금까지도 이어지고 있다.

마흔이 넘은 나이가 될 때까지 이백 번 넘게 생리를 하고 있지만, 할 때마다 여전히 붉스럽다. 이미 아이를 낳아버렸기에 쓸모 없어진 자궁에게 왜 아직도 존재감을 드러내느냐 화를 낸다.

절대 실수나 잘못이 아닌데도 뭔가 잘못한 일처럼 취급되는 상황들, 여자이기에 너무나 당연하게 생각되는 일들.

시대는 빠르게 변하지만 여성에 대한 고정관념은 내가 머무는 공간에서조차 고인 물처럼 변함이 없다.

최근에 방영된 드라마를 보면서 여전한 여성에 대한 편견과 주장에 불편했다. 그건 붉스러움이었다. 남편의 속옷을 다림질한 후, 상자에 넣어 냉장고에 보관해 시원하게 입게 한다는 아내, 대학 교수인 남편을 위해 손목이 아플 때까지 원고를 쓰고, 돈을 벌어 새 차를 뽑아준다는 아내. 그런 아내들을 놔두고 다른 여자와 바람이 나는 남편, 가정이 있는 남자인 줄 뻔히 알면서 사랑한다고 말하는 여자.

이 드라마에서 여성의 적은 남성이 아니라 또 다른 여성이다.

나 역시 이 안에서 한 발짝도 나가지 못하고 산다. 집안일은 항상 내가 해야 하고, 아이들을 돌보는 일, 요리하는 일 또한 내 몫이다. 남편은 내가 부탁할 때 겨우 해주거나, 어쩌다 한번 해준다.

그는 직장생활을 하고, 가족의 생계를 책임지기 때문에 그만큼 스트레스를 받는다는 것을 안다. 그렇기에 분주한 나를 뒤로하고 소파에 누워 핸드폰을 쳐다보고 있어도 나무랄 수가 없다.

그나마 내가 하는 일은 생리할 때가 되면 몸이 힘들다며 드러눕는 일이다. 일회용 생리대 대신 면 생리대를 쓰고, 직접 손빨래해서 건조대에 널어놓는 것으로 나의 그날을 알린다. 내 집에서라도 당당하게 그날을 알리고 싶다.

내 딸도 어른이 되어 아내가 되고 엄마가 될 텐데. 나와 똑같은 환경에서 살게 되는 건 아닌지….

내 딸만큼은 여자이기에 당연한 일이 당연하지 않기를 바랐다.

단 한 번도 귀한 줄 몰랐던 내 몸속의 작은 덩어리에게 재스민차를 마시며 미안한 마음과 감사한 마음을 전했다.

@goodness
@goodness

방향을 알려준 꽃
개양귀비

인도 코로나 상황이 조금씩 좋아지던 지난 3월.

아이들의 봄방학을 맞아 가까운 리조트로 여행을 떠났다. 차로 2시간 거리에 있는 리조트였기에 여행이라 말할 것도 없었지만, 캐리어 하나에 네 식구 짐을 넣고 컵라면과 과자를 잔뜩 들고 집을 떠난다는 것만으로도 신났다. 얼마만의 외출인가~~

일부러 인도까지 여행 오는 사람들이 많은데 우리는 뉴델리에 살아도 여행을 많이 다니지 못했다. 4시간이면 갈 수 있는 타지마할도, 자이푸르도, 남부 휴양지 고아나 케랄라도, 가장 가보고 싶었던 콜카타와 겐지스 강도 가보지 못했다. 아이들이 차만 타면 멀미를 했기 때문이었고, 장거리 여행을 힘들어하는 남편 때문이기도 했다. 인도의 여기저기를 돌아다니겠다는 포부는 코로나로 산산이 무너졌다.

역시나 고르지 못한 시골길을 달리는 내내 아이들은 속이 좋지 않다며 드러누웠다. 차멀미는 도대체 언제 즈음 없어지려나?

가는 길은 힘들었지만, 도착한 리조트는 별천지였다. 넓은 부지 곳곳엔 나무와 꽃이 잔뜩 있었고, 숙소는 2층 단독 숙소였다. 한쪽엔 작은 동물원과 놀이터, 수영장까지 갖춰져 있었다.

오랜만에 마스크를 벗고 휴가를 만끽했다. 아침의 차가운 공기도, 정오의 내리쬐는 뜨거운 햇살도, 나무 사이로 선선이 불어오는 한줄기의 바람도, 시끄럽게 꽉꽉거리며 무리 지어 걸어 다니는 뿔닭도, 어슬렁어슬렁 걸어 다니며 한껏 뽐내는 공작새도 모두 좋았다. 딱 한 가지, 길치인 내가 힘들었던 것은 리조트가 너무 넓어 방향을 잘 잡지 못한다는 것이었다.

숙소에서 식당까지 가는 길과 돌아오는 길, 산책을 하고 다시 숙소로 돌아가는 길이 매번 헷갈렸다. 이번엔 기필코 길을 잘 기억하겠다 다짐하며 홀로 길을 나섰다. 좁은 오솔길을 지나니 네 방향으로 갈라지는 길이 나왔다. 숙소와 식당과 수영장과 안내 데스크로 향하는 길이었다. 네 갈래 길 중앙엔 화단이 있었고 여러 꽃이 피어있었다. 그 중에 한 꽃에 눈길이 머물렀다.

'와! 예쁘다. 이런 꽃은 처음 보내.'

꽃잎은 진하게 붉었지만, 한복 치마처럼 얇았다. 세, 네 겹의 꽃잎이 감싸고 있는 수술은 보랏빛이었다. 이제 막 피어나는 꽃망울엔 하얀 솜털이 나 있었는데 만지면 안 된다고 말하는 듯 보였다. 아침 바람에 날려 흔들리는 꽃은 제발 나 좀 봐 달라며 유혹했다. 꽃의 유혹에 응답이라도 하듯 노란 나비 한 마리가 날아와 춤을 추었다. 도대체 저

꽃의 이름은 뭘까? 핸드폰을 들고 검색을 했다. 꽃의 이름을 찾는 건 어렵지 않았다. 그 꽃은 바로 '개양귀비꽃'이었다.

처음엔 마약의 주성분이 되는 양귀비꽃인 줄 알고 조금 겁이 났다. 하지만 자세히 찾아보니, 마약 성분이 없는 관상용 개양귀비꽃이라고 했다. 이름 앞에 "개"가 붙었지만 아름다움을 뽐내는 건 양귀비에 지지 않는 것 같다.

이 꽃 덕분에 방향을 잡을 수 있었다. 개양귀비꽃을 앞에 두고 눈을 들면 식당이 보였고, 뒤돌아서면 숙소로 가는 길이 보였다. 오른쪽으로 돌아가면 산책로와 놀이터가 있었다. 방향을 알려 준 꽃 덕분에 내가 가야 할 곳을 잊어버리지 않았다.

집단 감염이 생겼다는 말에 사람들은 하나둘 마스크를 벗기 시작했고, 마트와 쇼핑몰이 문을 활짝 열였다. 심지어 스포츠 센터와 수영장까지 재개되었다.
우려했던 일이 벌어지고 말았다. 코로나 확진자 수는 급격하게 늘었다. 문제는 감염 속도와 증상이 그 전보다 위험한 상황이라는 것이었다. 어린아이들 감염률이 늘었다. 학교 친구, 친구의 엄마, 학교 선생님들이 차례대로 확진되었다. 작년 11월에 다시 학교에 다니기 시작한 아이들은 5개월 만에 다시 온라인 수업으로 전환되었다.

연락이 없던 친구들로부터 안부를 묻는 메시지가 온다. 잘 지내느냐, 인도는 어떠냐, 가족들은 건강하냐, 한국에는 언제 오느냐….

잘 지낸다, 우리는 괜찮다, 집에만 있다, 하지만 언제 갈지는 모르겠다….

사실 무얼 어떻게 해야 할지 모르겠다. 어디로 가야 할지 모르겠다.

지금 당장 짐을 싸서 한국으로 돌아가야 할까? 아니면 지난해와 마찬가지로 집안에서 웅크리고 지내다 코로나가 잠잠해지기를 기다려야 할까?

자극적인 뉴스에 괜히 화가 났다가, 이런 상황이 되기까지 손 놓고 있던 인도 정부에 분노가 일었다가, 그래도 우리는 코로나에 걸리지 않았고 잘 지내고 있으니 감사하다고 위안을 했다.

한국 전세기 소식을 듣고 검색했다가 조용히 컴퓨터를 껐다. 참고 있던 온갖 부정적 감정이 화르르 일어나 나를 잠식했다. 울컥울컥 올라오던 울음을 이번엔 참지 않고 토해냈다.

옆 동네에 사는 친구에게 메시지를 보냈다. 다행히 친구도 아직 잘 지낸다고 했다.

“우리 함께 코로나 존버해요.”

그녀의 이 말이 큰 위로가 되었다….

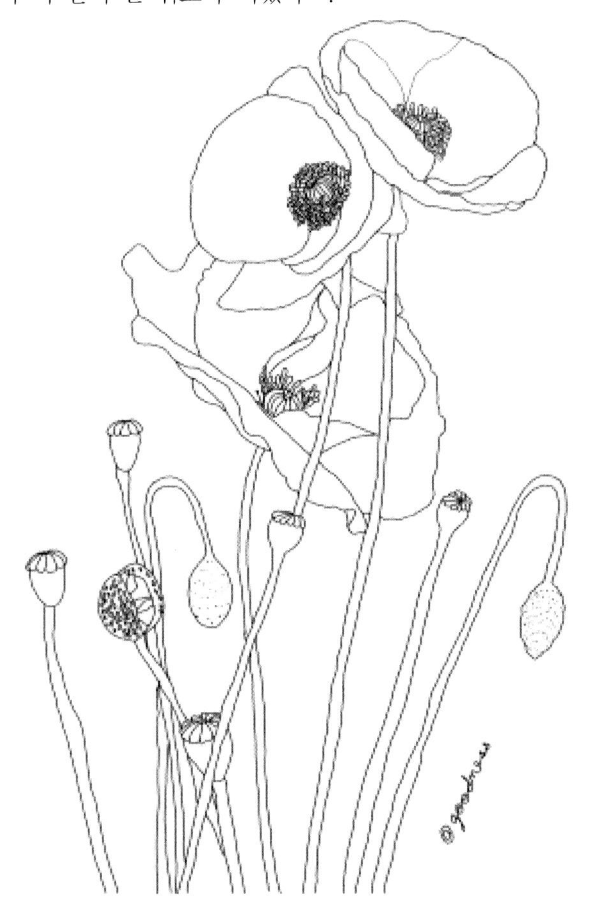

그녀의 말이 나에게 방향을 알려주는 것 같았다. 그래서 나도 존버하기로 결심했다. 이쪽일까 저쪽일까 방황하지 않고, 언제나처럼 묵묵히 내 일을 하면서 잘 먹고, 잘 자고, 영화나 드라마를 보면서, 꽃을 그리고 내 마음을 쓰면서 인도의 코로나가 잠잠해질 때까지 존버하겠다고 다짐했다.

개양귀비 꽃말은 여러 가지 있지만 '위안'이라는 꽃말이 가장 마음에 든다.

나는 오늘 개양귀비꽃을 그리며 흔들렸던 마음을 잠잠히 붙잡고 삶의 위안을 얻는다.

힘든 환경에서도 처연하게 피어나는 연꽃

이른 아침에 일어나 베란다로 나갔다.

럭 다운으로 멈춰버린 세상은 고요했고, 어디선가 이름 모를 새가 초롱초롱 울었다. 이미 한여름이 된 계절이지만, 새벽 공기는 청량했다. 하늘이 너무 맑아 눈이 부셨다. 파란 하늘에 괜히 심술이 나서 툴툴대며 혼잣말을 했다.

'날씨가 이렇게 좋은데, 나가지도 못하고. 에잇, 코로나!'

럭 다운 5일째가 되었다. 인간이 멈추면 자연은 살아나는 법. 미세먼지 세계 1위의 도시가 오늘따라 너무 맑아 베란다에 한참 앉아 멍을 때렸다. 맞은편 집 아줌마가 베란다로 나와 하늘을 올려다보았다. 그녀도 나와 같은 생각을 하고 있을까?

"카톡"

뉴델리 한인교회 구역 단톡방에서 온 메시지였다.

"한국에 갈 수 있을까요?"

"글쎄요…. 5월에 특별기가 있다고 하던데요."

"하지만 아이들 데리고 갈 수 있을지 모르겠어요. 대기시간도 길고, 인천공항에서 코로나 검사하고 결과 나올 때까지 또 기다려야 한다는 데…."

"그러니까요. 전 이번에도 포기했어요. 오고 가는 게 더 힘들어요."

"집사님 한 분이 코로나에 걸리셨는데 열이 오르락내리락한대요. 기도해 주세요."

"네, 알겠습니다."

"그런데 백신 맞아도 될까요? 5월부터 맞을 수 있다고 하던데요."

"제가 아는 분이 맞았는데, 한 분은 괜찮았고 다른 분은 열이 좀 나서 타이레놀 드셨데요."

"아, 그럼 맞아야겠네요."

뉴델리에는 회사 주재원, 정부 기관 주재원, 사업하는 사람들, 유학 온 사람들…. 정말 많은 한국 사람들이 산다. 뉴델리에서 사는 것이 힘들다가도 비슷한 환경에 처한 사람들을 보면 위로가 된다. 다른 곳에 사는 사람들은 이해하지 못하는 삶을 우리는 서로 이해한다.

너무 밀접한 한인사회가 피곤하고 시끄럽기도 하지만, 힘들 땐 가장 힘이 되어준다.

연꽃은 더러운 환경에서도 처연하게 피어나는 꽃으로 유명하다. 그래서 불교에서는 연꽃을 속세에 물들지 않은 사람으로 비유하기도 하고, 힘든 환경에서도 굴하지 않고 피어나는 꽃으로 우상시한다. 그것도 그런 것이 더러운 연못에서 피어나는 연꽃이 너무나 아름답다.

옛날 전래동화 중의 하나인 심청전에서는 심청이가 아버지 심봉사를 위해 인당수에 몸을 던졌다가 다시 살아 돌아올 때 연꽃에 휩싸여 돌아왔다고 나와 있다.

힘든 역경을 이겨내고 살아 돌아올 때 함께 해준 꽃. 그 꽃은 아마도 심청이에게 위로였고, 위안이었고, 죽음에서 삶으로 돌아온 통로였을 것이다.

1년 넘게 지속되고 있는 코로나 상황.

이제 곧 정상적인 생활로 돌아갈 수 있을 거라고 잔뜩 기대하고 있었는데 정반대의 상황에 부딪히니 더 좌절되었다. 하지만 이곳에서 가족들과 안전하게 지내기 위해서는 좌절된 마음을 재빠르게 추스르고, 통제된 환경에 적응해야 했다. 힘든 환경에서도 처연하게 피어나는 이 연꽃처럼.

인도는 더러운 나라도 유명하다. 아이러니하게도 인도의 국화가 연꽃이다.

5월부터 시작되는 18세 이상 백신 접종이 새로운 희망이 되길. 연꽃처럼 활짝 피어나길.

가족들이 일어나기 전에 아침밥을 하려고 주방으로 들어갔다. 코로나에 걸리지 않기 위해서는 잘 먹고 잘 자야 한다는 말에 하루 세 번 꼬박꼬박 밥을 한다. 집밥이 지겨운지 짜장면과 치킨, 피자 노래를 부르지만, 시켜줄 수 없다.

몸과 마음은 힘들지만, 여전히 안녕하다고 말할 수 있어서 감사한 오늘이다.

치유

사랑에 속도가 중요한가요.

랑잠하듯 서서히 스며들어

오래도록 뭉근하게

사랑하겠습니다

당신을 사랑합니다
동백꽃

시골 동네 어느 담벼락에 피어 있던 동백꽃을 하나 따서 가운데 수술을 쪽 빼면 꿀이 따라 나왔다. 빨갛게 물든 꽃잎을 하나하나 따서 하늘 높이 던지면 빨간 눈처럼 후두두 떨어졌다.

땅에 떨어진 꽃잎을 발로 즈려밟기도 하고, 돌멩이로 콩콩 찧어 소꿉놀이하느라 시간 가는 줄 몰랐다.

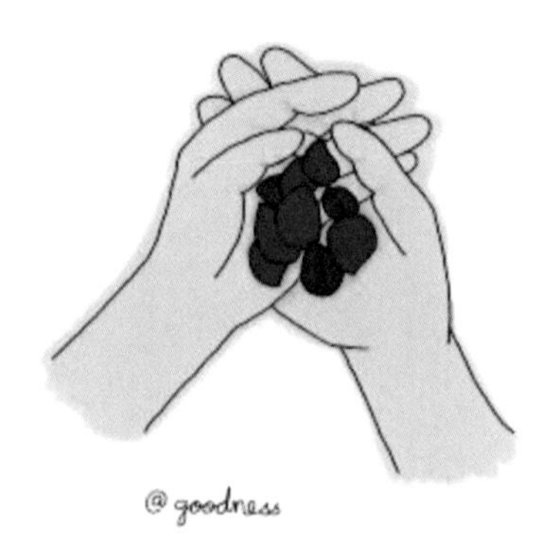

유독 동백꽃이 많이 피었던 집은 뒷산 언덕배기에 살던 해피네 집이었다.

그 집에는 어떤 부부가 살고 있었는데, 아내가 먼저 죽었다. 나중엔 이 마을 저 마을 떠돌아다니던 여자를 데려다 그 집에 살게 했다고 했다.

우리 집 바로 뒤에는 대나무 숲이 있었는데, 산을 오르면 그 언덕집과 연결되었다. 바람이 불면 대나무가 서로 부딪히며 스산한 소리를 냈다. 나는 그 소리가 무척이나 무서웠다. 밤이 되면 더 무서워서 뒷문을 꼭꼭 잠갔다. 하지만 날이 밝으면 마을을 빙 돌아 그 언덕배기로 올라갔다. 거기엔 빨간 동백꽃이 흐드러지게 피어 있었다.

공효진과 강하늘 주연의 드라마, '동백꽃 필 무렵'은 "누구보다 당신을 사랑합니다"라는 동백꽃의 꽃말을 너무나 잘 보여준 드라마이다. 촌므파탈 용식이의 직진 사랑법은 마흔이 넘은 아줌마의 가슴을 설레게 만들었고, 안타까운 동백이의 삶은 엄마로서 애닮은 마음을 갖게 했다.

그 드라마를 보며 마음을 아끼지 말고, 재지 말고 사랑해야겠다고 다짐했는데, 매번 아이들에게도 남편에게도 마음을 아끼고만 있으니, 드라마와 현실의 차이는 너무나 크다.

어떻게 하면 마음을 아끼지 않고 표현하며 살 수 있을까?

나는 내 아이를 통해 솔직하게 표현하는 동백꽃 같은 모습을 종종 목격한다.

방 정리를 한 후, 엄마를 불러 확인을 시키고 칭찬 한마디 받길 원한다. 요리를 하다 지쳐 앉아있는 엄마에게 얼음물을 타주며,

"엄마, 나는 칭찬받을 때가 좋아."

라고 솔직하게 말한다. 자기 전엔 꼭 뽀뽀를 해달라고 하고, 꼭 안아주면 가장 좋아한다.

솔직한 아이의 모습을 보며, 나에게도 저런 때가 있었나…. 되돌아 보는데 좀체 기억나지 않는다. 나에게는 동백꽃의 솔직함이 불편스러웠다.

솔직한 것이 항상 좋은 것은 아니라는 걸 너무 잘 아는 어른이 되었다.

알아도 모르는 척,

들리지 않는 척,

보지 못한 척,

겸손한 척하며 살아간다.

동백꽃 꽃잎 하나 그리며 어린 시절을 떠올리고, 또 하나 그리며 친구들을 떠올리고, 빨간 꽃잎을 색칠하며 내 옆의 가족을 떠올렸다.

올해는 드라마 속의 황용식이처럼, 내 옆에서 웃고 있는 아이처럼, 동백꽃의 간지러운 꽃말처럼 아끼지 말고 사랑해 볼 수 있을까.

동백스러운 솔직한 고백을 아끼지 말고 해볼까…….

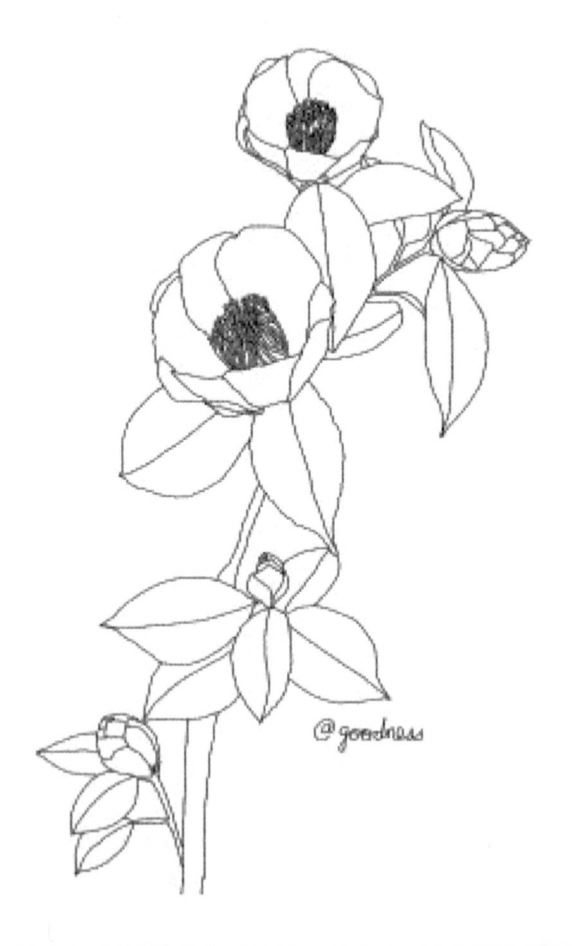
@goeudness

영원한 사랑
도라지꽃

시골집 마당 구석의 작은 화단엔 엄마가 심어 놓은 여러 종류의 꽃이 있었다. 이름도 모르는 꽃부터 붉은 작약꽃, 봉숭아꽃, 장미꽃….

스승의 날이면 봄날에 피는 꽃을 꺾어 작은 꽃다발을 만들어 선생님께 드렸다. 그 꽃다발엔 시골 아이의 순수함이 가득 담겨 있었다. 여름이 되면 그 화단에 영롱한 보랏빛의 도라지꽃이 피었다.

도라지는 해가 잘 드는 양지에 길쭉하게 자랐다. 뿌리는 고작 두세 개뿐이었지만, 끝에 맺힌 꽃망울은 온 집안을 보랏빛으로 물들였다.

난 활짝 핀 꽃보다 아직 웅크리고 있는 꽃망울을 좋아했다. 그 꽃망울을 손가락으로 누르면 "폭" 소리가 나며 터졌다. 그 손가락 끝의 느낌이 재밌어서 모든 꽃망울을 터트렸다.

도라지꽃의 꽃말은 영원한 사랑이다. 에키네시아의 꽃말이 영원한 행복으로 어마어마하다고 생각했는데, 영원한 사랑이라는 꽃말도 마찬가지이다. 영원한 사랑이라니.

내가 드라마를 볼 때마다 아이들은 무슨 드라마냐고 물어본다. 그럼 나는 "사랑 이야기"라고 말한다. 아이들은 엄마는 왜 맨날 사랑 이야기만 보느냐고 따져 묻는다. 그럼 난 이렇게 말한다.

"사랑 이야기가 제일 재밌어. 이 세상에 사랑 빼면 아무것도 없어. 사랑이 최고야. 너희들도 그런 사랑을 하렴."

어느 날 큰아이가 조용히 다가와 말했다.

"엄마, 나 사실은 티아 좋아해."

그러더니 얼굴이 빨개져서는 쉿~하며 손가락을 입에 가져다 댔다. 티아는 같은 반 여자 아이로 꽤 예쁘게 생긴 친구이다. 발렌타인데이를 4일 앞둔 날이었다.

함께 마트에 가서 초콜릿을 골랐다. 너무 화려한 건 조금 부담스러워 보였고, 네모 반듯한 초콜릿은 조금 성의 없어 보였다. 그나마 보기에도 좋고 맛도 좋은 키세스 초콜릿을 골라 집에 와서 함께 포장을 했다. 그리고 내일 학교 가서 준다며 가방에 넣어 두었다.

다음날 아이는 그 초콜릿을 티아에게 주며, "나 너 좋아해"라고 말했다고 했다. 내성적이고 부끄러움이 많던 아이가 언제 저렇게 컸을까?

"엄마, 이제 엄마가 사랑 드라마를 보는 이유를 알겠어."

아이의 감정이 조금씩 성숙해지는 모습을 보며 아이가 자라고 있음을 알았다.

활짝 핀 꽃보다 꽃망울이 좋은 이유는, 손끝에 전해지던 폭스러움 때문이기도 하지만, 아직 완성되지 않은 무언가를 기다리는 설렘 때문이기도 하다.

그것은 아직 덜 익은, 어리숙한 모습이다.

내 아이의 감정이 활짝 피기 전의 도라지 꽃망울 같았다. 언젠간 그걸 터트려 줄 사람이 나타나겠지?

좋아한다는 것이 무슨 의미인지도 모르는 아이는, 고백은 했지만 그 후에 어떻게, 뭘 해야 하는지 모르는 모양이다. 여자 친구, 남자 친구 하기로 했느냐 물어보니 그건 또 아니라고 한다. 학교에서 만나면 어떻게 하느냐 물어보니 그냥 같이 뛰어논다고만 한다.

가끔은 학교 벤치에 함께 앉아 이야기도 하면서. 이런 순수한 영혼을 봤나… 손잡을 줄도 모르는 녀석이 덜컥 고백부터 했으니…

아이의 순수한 이 모습이 영원히 기억되길, 영원한 사랑이 있는지는 모르겠지만, 사랑은 영원히 하길!!

사랑의 꽃비
벚꽃

당신과 함께 걸었던 그 길을
기억합니다

수줍게 흩날리는 꽃잎을 잡으며
어색하게 구겨진 분위기를
애써 팽팽하게 당겨봅니다

소란한 소리 중에도 당신의 음성은
너무 쉽게
들려옵니다

내 머리 위의 꽃잎을 떨어뜨리는
그 손끝의 떨림을
기억합니다

누구나 가슴에 추억 하나쯤 품고 살아간다.
따뜻했던 추억은 추운 오늘을 견뎌낼 힘이 되어 주기도 한다.
유난히 길게 느껴지는 겨울의 끝자락에서 꽃비의 추억을 떠올린다.
꽃길을 함께 걸었던 연인, 친구 가족을 떠올리며
따뜻한 봄날의 간지러움을 기다린다.

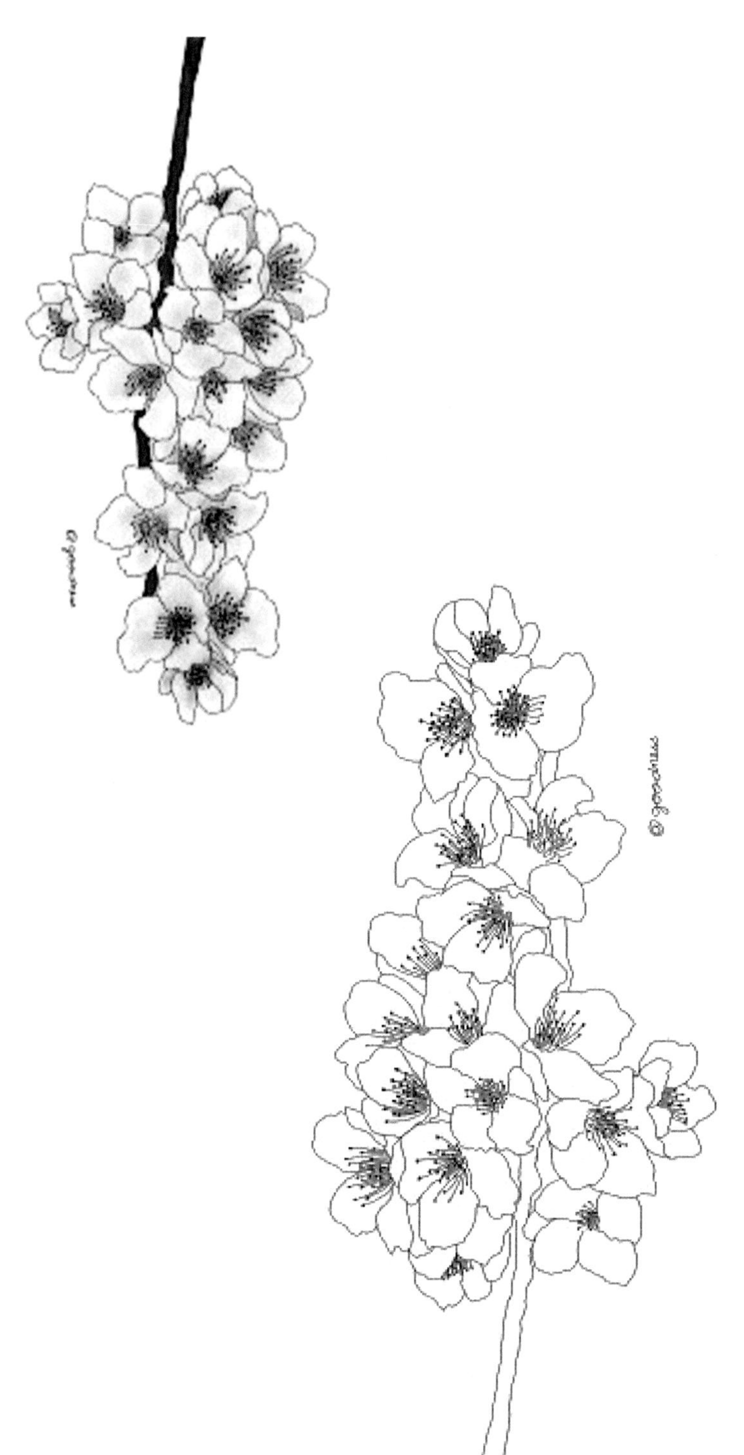

가족의 사랑 수국

토양은 여러 가지로 비유된다. 뿌리가 시작되는 곳, 사람의 근원이 되는 곳, 안식처가 되는 곳 그리고 사람이 다시 되돌아가는 곳.

토양은 한 사람의 신체와 정신, 감정이 시작되는 '가정'이라고 할 수 있다. 한 사람의 성격과 인성은 유전적, 선천적인 영향도 있지만 가장 큰 영향을 미치는 건 환경이고 그중에서도 가정 환경의 영향이 가장 크다.

아이들은 부모의 모습을 보며 자란다고 한다. 엄마처럼은 절대 살지 않겠다고 다짐했지만, 엄마의 모습으로 살고, 아빠처럼 폭력은 절대 쓰지 않겠다고 생각하지만, 폭력 아래서 자란 아이는 폭력적인 어른이 될 확률이 높다. 이런 부정적인 가정 환경을 이겨내기 위해서는 개인의 의지와 많은 노력이 필요하다.

수국은 토양의 성질에 따라 색깔이 변한다. 토양이 알칼리성일 때는 핑크색, 산성일 때는 파란색. 중성일 때는 보라색이다.

파란 수국의 꽃말은 거만 또는 냉정이고 하얀 수국은 변덕 또는 변심, 분홍 수국은 소녀의 꿈, 보라 수국은 진심이다.

꽃의 색깔과 상관없이 '가족의 단란함'이라는 꽃말도 가지고 있는데, 그 이유로 결혼식장에서 많이 볼 수 있기도 하다.

씨의 종류에 따라 다른 줄 알았는데 같은 씨라도 토양의 성질에 따라 결과물은 다르다고 하니, 수국은 우리 사람의 형태와 많이 닮았다.

남편은 학창 시절에 많이 외로웠다고 했다. 수업 끝나고 돌아오면 집에는 아무도 없었다고 한다. 아버지는 일로 바쁘고, 형은 도시로 공부하러 떠났다.

그는 어둠이 가득한 방안의 불을 모두 켜 놓는 것으로 외로움을 쫓아냈다. 그게 외로움인지도 느끼지 못한 채 그저 어둠이 싫다고만 생각했다.

나는 저녁 8시만 되면 칠흑같이 어두워지는 시골에 살았다. 잘 시간이 되면 대문 밖 가로등만 남겨놓고 모든 불을 껐다. 불을 모두 끄면 밤하늘에 떠 있는 달과 별이 더 밝게 빛났다.

어둠 속에서 웅크리고 누워 있으면 벽에 붙어있는 괘종시계가 반짝이며 똑딱똑딱 큰 소리를 냈다. 나는 밤마다 괘종시계를 죽이고, 아침이 되면 태엽을 감아 다시 살렸다.

그와 나의 토양은 너무나 다른 모습이었다. 그래서 함께 사는 동안 서로의 낯선 모습에 적잖이 놀라기도 하고, 이해하기 힘든 구석 때문에 싸우기도 했다.

깜깜함을 좋아하는 나와 불빛을 좋아하는 그.

노래를 틀어 놓고 자는 그와 작은 소리에도 잠을 이루지 못하는 나.

서로의 토양이 섞이고 섞여 지금은 어두운 전등 하나를 켜 놓고 잔다. 그리고 그는 이어폰을 끼고 노래를 들으며 잔다.

나는 지금 어떤 토양을 만들고 있는지,

내 아이들은 어떤 색깔의 꽃으로 피어나고 있는지.

나와 남편이 만들어 놓은 환경에서 헤엄치며 거니는 아이들은 장난꾸러기 아이도, 예민한 아이도, 똑똑한 아이도, 조금 느린 아이도 모두 예쁘다. 색깔은 다르지만 파란 꽃도 보라 꽃도 분홍 꽃도 모두 예쁜 것처럼.

어떤 토양을 만들고 있나?

어떤 꽃이 피어도 단란한 가족이길.

겸손한 사랑
안개꽃

큰아이가 돌 즈음부터 방글라데시에 살기 시작했다. 집에서 조촐하게 돌잔치를 치르고 한 달이나 지났을까? 갑자기 몸이 안 좋아졌다. 낯선 곳에서 어린아이를 데리고 살아야 했기에 물갈이를 하거나, 스트레스를 받았거나 아니면 많이 지쳐서 그런 거라 생각했다. 하지만 자꾸 설사를 하고, 속이 울렁거리고, 구토를 하니 몸이 아픈 게 아니라 다른 이유가 있는 것 같았다.

남편에게 약국에 가서 임신 테스트기를 사 오라고 했다. 그가 사 온 테스트기는 얇은 종이로 된 테스트기였다. 설명서를 열심히 들여다본 후, 소변을 묻히고 5분을 기다렸다. 선명한 줄이 그어졌다. 둘째를 가진 것이었다.

기쁨도 잠시, 걱정이 앞서기 시작했다. 우리가 살던 도시는 한국 사람도 별로 없는 곳이었고, 병원도 매우 열악했다. 첫 아이를 임신했을 때 심한 입덧과 자궁근종 통증으로 병원 입원까지 했었는데, 과연 이 곳에서 잘 버틸 수 있을까?

임신을 확인한 순간부터 입덧은 더욱 심해졌다. 이제 겨우 돌이 지난 아이를 뽀로로에게 맡기고 나는 방바닥을 기어다녔다.

그런데 퇴근하고 집으로 들어온 남편 손에 꽃다발이 들려 있었다. 한국에서처럼 화려한 꽃이 아닌, 뭔가 어색한 꽃들이 한데 묶여 꽃다발을 만들었다. 그래도 익숙한 안개꽃이 함께 있어서 꽤 기분이 좋았다.

안개꽃은 겸손하다. 다른 꽃들과 함께 있어도 뽐내지 않는다. 오히려 다른 꽃들이 더욱 빛나도록 배경이 되어준다. 어느 장소, 어느 꽃과도 어울리지만, 안개꽃만 묶어 둔 꽃다발도 꽤 멋스럽다.

내가 다른 사람들의 배경밖에 되지 않는다고 생각할 때가 있었다.

남들은 모두 열심히 사는 것 같았다. 새벽에 일어나 미라클 모닝을 하고, 바디 프로필을 찍기 위해 복근을 만들고, 아이들을 건강하게 키우고, 필요한 것은 고민하지 않고 사는 사람들.

나는 아침에도 겨우 일어나고, 미라클 모닝은 일찌감치 포기했다. 뱃살은 축 처졌고, 숨쉬기 운동만 한다. 밥 하기 싫을 땐 라면으로 대충 때우고, 필요한 게 있어도 백 번 고민만 하고 사지 못한다.

남들도 모두 나와 같을 거라 위안하지만, 왜 그렇게 나 자신이 초라하게만 보이는지…. 카메라 속 저 뒷 배경, 그중에서도 뭉그러져 형태를 알 수 없는 시야 밖의 배경 같았다.

하지만 그 배경도 하찮은 것은 아니라는 걸 깨닫기 시작했다.

남들이 하는 데로 따라 하다 간, 내 다리만 찢어질 뿐. 나는 내 속도와 방향으로 천천히, 그렇지만 꾸준히 하기로 결심했다. 그렇게 결심하니 그제야 안개꽃의 겸손함이 눈에 들어왔다. 어느 장소, 어느 꽃과도 어울리지만, 안개꽃만 묶어 둔 꽃다발도 꽤 멋스러운 꽃.

나도 이 안개꽃 같은 사람이 되고 싶었다.

남편이 준 꽃다발이 시들어 갈 때쯤 말라 있는 안개꽃만 따다가 작은 화분에 뿌려주었다. 설마 싹이 날까? 반신반의했다. 그리곤 곧 잊고 말았다.

그런데, 얼마 지나지 않아 싹이 나기 시작했다. 물을 잘 주지 않았는데도 싹은 쑥쑥 자라났고, 새로운 꽃을 피우기까지 했다. 그 꽃의 생명력과 적응력이 놀라웠다.

안개꽃을 볼 때마다 힘들었던 그 시절이 떠오른다.

심하게 입덧을 하며 겨우겨우 버텼던 그때, 겸손한 안개꽃은 나에게 희망이었다. 덕분에 낯선 곳에 점차 적응해 갈 수 있었다. 그리고 다행히도 임신 기간 내내 아프지 않고, 4킬로그램이 넘는 딸아이를 낳았다.

그 아이는 지금은 말 안 듣는 열 살 아이가 되었다.

슬픈 전설의 아름다운 꽃
히아신스

코로나로 모든 것이 멈추었을 때, 아이들의 학교도 멈추었다. 인도의 코로나 확진자 수가 세계 3위까지 올라갔다. 우리가 살고 있는 뉴델리 확진자가 날마다 5천 명 이상 나오면서 집 밖으로 한 발짝도 나가지 않는 삶을 지속했다.

웅크린 폐쇄의 시간을 보낸 후, 8개월 만에 학교가 조심스럽게 문을 열었다. 인도에서 처음으로 문을 연 학교가 되었다.

학교를 보내도 되는지, 과연 괜찮을지, 걱정되었지만 학교를 못 가서 엉망이 된 학습을 따라갈 방법이 없어 기도하며 등교를 시작했다. 감사하게도 아이들은 코로나에 걸리지 않고 학교에 잘 다닐 수 있었다. 그 사이 아이들에게는 좋아하는 친구가 생겼고, 베프가 생겼다. 물의 순환에 대해 배우고 전기에 대해서도 배웠다. 그리고 자연과 환경오염에 대해 심각하게 고민해 보는 시간도 가졌다.

식물의 생애에 대해 배우던 어느 날, 둘째 아이의 반에서 양파처럼 생긴 구근을 물에 담가놓기 시작했다. 못생기고 투박한 뿌리에서 어떤 식물이 나올지 아무도 예상하지 못했다. 2주 지나니 구근에서 가는 뿌리가 나왔다. 그리고 점차 길어지고 풍성해졌다. 담가 놓았던 생수병이 좁아지기 시작할 때, 보금자리를 흙으로 옮겼다. 아이들은 학교에 갈 때마다 자신의 식물에 열심히 물을 주고, 보살펴 주었다.

가장 먼저 꽃을 피운 것은 아비가일이라는 아이의 것이었다. 분홍색의 작은 꽃들이 앙증맞게 피어 진한 향기를 풍겼다. 그때 돼서야 이 꽃의 이름을 알 수 있었다. 바로 히아신스였다.

이 꽃과 관련된 슬픈 신화가 하나 있다.

히아킨토스라는 매우 아름다운 소년이 있었다. 그 소년의 아름다움에 반한 아폴론 신은 매일처럼 그 소년을 찾아갔고 항상 함께 놀았다. 그 모습을 질투한 신이 있었다. 바로 바람의 신 제피로스이다. 어느 날, 아폴론과 히아킨토스가 원반던지기 놀이를 하고 있었다. 제피로스는 그들을 놀려주려고 아폴론이 원반을 던졌을 때 바람을 후~ 불었고, 원반은 히아킨토스의 머리로 날아가 부딪혔다. 결국 히아킨토스는 피를 흘리며 죽고 말았고, 히아신스꽃이 되었다.

슬픈 신화 때문일까? 꽃의 진한 향기와 아름다움이 왠지 처연하게 느껴졌다.

"엄마, 내 꽃은 아직도 안 폈어. 이제 꽃망울만 생겼어. 내 꽃은 언제 필까? 가브리엘 것은 뿌리가 많더니 꽃도 일찍 폈어. 뿌리가 잘 자라야 꽃도 잘 피나 봐."

이제 겨우 꽃망울을 머금고 있는 아이의 히아신스를 한참 바라보았다.

"조금 천천히 펴도 괜찮아. 꽃이 빨리 피면 빨리 져버리잖아."

나 역시 아이의 히아신스처럼 천천히, 하지만 꾸준히 피는 꽃이 되고 싶다고 생각했다.

히아신스 꽃향기는 매우 진하다. 그게 꼭 봄을 불러오는 향기 같았다.

천천히 피어나는 이 꽃처럼,

진한 봄의 향기처럼,

우리의 삶에도 이제 그만 봄이 오기를 진심으로 바랐다.

나를 위한 선물
후쿠시아

생일이 되면 이상하게 우울해진다. 전날까지만 해도 방방 떠다니던 마음은 온데간데없이 사라진다. 가만이 되짚어 보면 작년 생일에도 그랬던 것 같다. 2년 전에도, 3년 전에도. 생일을 생일답게 보낸 기억이 없다.

마흔이 넘은 아줌마가 생일이 무슨 대수인가 싶다. 어린아이도 아니고, 챙겨도 그만 안 챙겨도 그만인 것을.

이렇게 생각하는 것과는 다르게 마음은 매번 우울해진다. 무슨 특별한 이벤트나 선물을 기대하는 것은 아니다. 단지 이 세상에 태어나 사람의 형상을 가지고 강물처럼 사는 인생을 인정받고 싶을 뿐.

인정의 욕구는 나이가 들어도 더하면 더했지, 줄어들 생각을 하지 않는다.

어느 날, 아이가 물었다.

"엄마는 왜 아기 때 사진이 없어?"

한참 뜸을 들이다 말했다.

"응…. 엄마가 네 번째 딸로 태어났거든. 할머니, 할아버지는 아들을 원했거든. 그런데 엄마가 또 딸이라서 많이 서운하셨나 봐. 그래서 사진을 안 찍었나 봐."

"에이, 너무했다. 딸이라고 그러는 법이 어디 있어?"

"옛날엔 다들 그랬어."

"내가 할머니한테 너무하다고 말할까?"

"아니, 말하면 안 되지. 할머니 속상하시지."

엄마가 되어보니 알겠다. 가장 속상한 사람은 세상에 태어난 아기가 아니라, 열 달을 품고 배 아파 아기를 낳은 엄마 자신이라는 사실을.

누구의 죄도 아니고 누구의 잘못도 아닌 신의 섭리라는 사실을.

목적도 없이 이유도 없이 세상에 내던져진 인생은 없으며, 바람에 흔들리는 나뭇잎처럼 때가 되면 떨어지고, 거름이 되어, 그저 생의 순환에 약간의 도움을 주는 존재라는 것을.

5월이 시작되기 전부터 원하는 선물을 고르라는 남편의 말에 아마존에 들어가 열심히 찾아봤지만 딱히 사고 싶은 것이 없다. 생일이면 시끌벅적 울리던 가족 단톡방이 어째 조용하다. 스승의 날 바로 다음 날인 내 생일은 항상 이렇게 존재감이 없다.

"오늘 내 생일이야~ 다들 축하한다고 말해줘~"

가족들에게 대놓고 축하해 달라고 떼를 썼다. 그제야 언니들은 요란하게 축하의 메시지를 보냈다.

미역을 꺼내 물에 불렸다.
올해는 기필코 남편이 끓여준 미역국을
먹고야 말겠다고 다짐했다.
결혼 전에는 요리도 곧잘 해주던 사람이
지금은 요리와 담을 쌓고 산다.
미역국을 끓일 줄은 알까?

인스타그램에서 후쿠시아꽃을 보았다. 어쩜 이렇게 영롱할까….

하늘을 바라보는 꽃들과 다르게 땅을 향해 고개를 숙인 꽃 무리가 마치 자신의 화려함을 부끄러워하는 듯 느껴졌다. 좀 더 당당해도 될 텐데, 좀 더 자신 있게 자신의 생을 뽐내도 될 텐데.

어쩌면 그래서 더 눈길을 끄는 건지도 모르겠다.

꽃도 나뭇잎도 이름 없는 들풀도 자신의 존재에 대해 의문을 품지 않는다. 때가 되면 자신을 내어주고, 때가 되면 사라지고, 때가 되면 다시 피어날 것이다.

나는 마젠타 블루의 꽃을 그리며 나에게 선물을 주었다.

꽃은 나에게 말했다.

지금 이 시간이 가장 소중한 선물이라고.

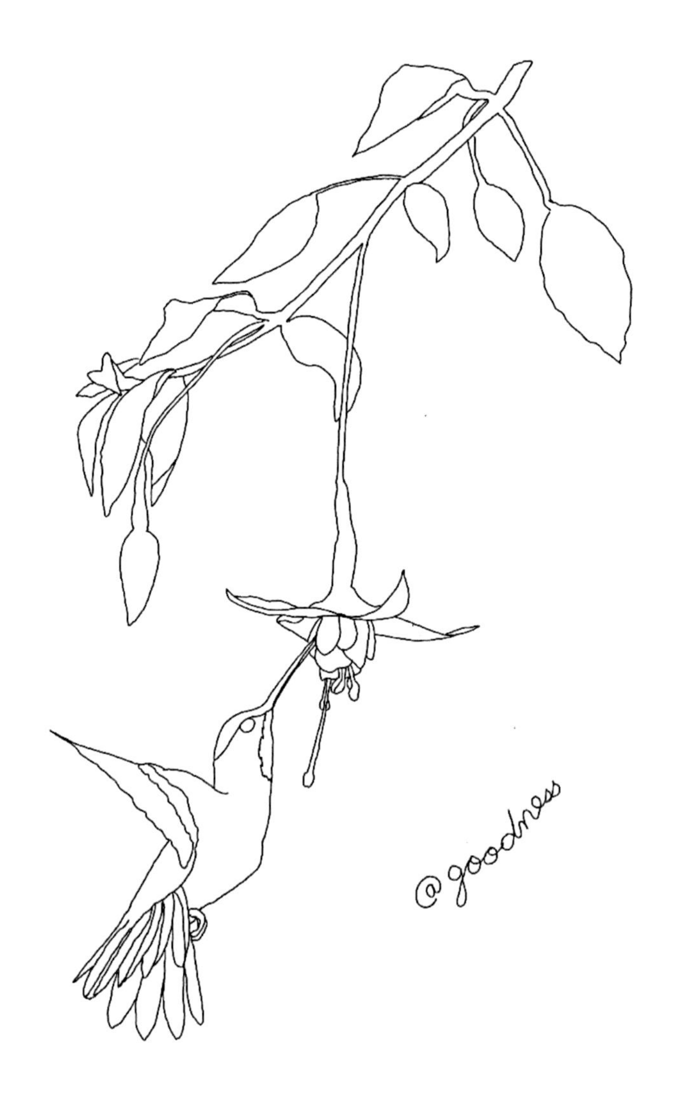
@goodness

10년 만에 얻어먹은 미역국은 맛있었다. 배달시킨 생크림 케이크는 완벽했다. 내가 원해서 태어난 것은 아니지만, 허락된 내 삶을 허투루 쓰진 않겠다고 다짐했다. 여전히 인정받기 위해 살지만, 가장 나를 인정해야 할 사람은 바로 나라는 것을 다시 한번 되뇌었다.

인연

인 연을 맺고 끊는 것은 쉽지만

연 결 된 마음을 거둬드리는 것은 어렵다

나에게 다가온 마음들을
소중하게 간직하기 위해
글을 쓴다

삶에 대한 기대를 저버리지 않기 위해
라벤더

뉴델리를 떠난 지 어느새 2년이 넘었다. 그곳에서의 삶을 떠올리면 빛바랜 사진 속의 한 장면처럼 떠오르곤 한다. 치열하게 일상을 보내며 그 어느 때보다 충만하게 살았던 시절이었다. 사무치게 외로웠지만, 나의 좁은 세상이 온라인으로 크게 확장된 시기이기도 했다.

인도에 대한 감정은 여러 갈래이다. 남편이 청년 시절부터 그토록 가보고 싶어 하던 나라였고, 내가 작가가 된 나라였고, 코로나가 가장 심할 때 지냈던 나라였다. 그리고 남편이 자신의 인생에서 가장 깊고 어두운 터널을 지나야 했던 곳이기도 했다.

코로나가 가장 심했을 때도 잘 견뎌낼 수 있었지만, 남편이 아프니 더 이상 그곳에 머무르고 싶지 않았다. 그는 이석증으로 몸을 가누지조차 못한 채 일주일 동안 누워서 지내야 했고, 이유 없는 불안 증상으로 불면증까지 겪고 있었다. 밥도 제대로 먹지 못한 채 더운 뉴델리의 거리를 걷고 걷고 또 걷다 몸엔 뼈만 앙상하게 남았다. 코로나 보다 앙상하게 말라가는 남편이 더 무서웠다.

인제 그만 한국으로 돌아가자고 먼저 말한 건 나였다. 아이들의 학업을 위해 조금만 더 견뎌보라는 조언도, 한국에 들어와봤자 더 고생일 거라는 충고도 귀에 들어오지 않았다. 나는 그런 막연한 미래보다 지금 내 앞의 가족이 더 중요했다. 인도의 삶에 대한 기대도, 더 이상의 미련도 남아있지 않았다.

한국으로 돌아가 어디서 어떻게 살아야 할지 매일 밤 고민했다. 지금보다 조금 더 열심히 글방을 운영하면 적은 금액이라도 돈을 벌 수는 있을 것 같았다. 도서관에서 강의도 하고, 책 쓰기 프로그램도 조금 더 단단하게 만들고…. 정 안되면 다시 병원에 취직을 할 수도 있었다. 처음엔 적응하느라 고생을 좀 많이 하겠지만, 그래도 살아낼 수 있으리라….

그렇게 마음을 굳히고 나니 기대가 스멀스멀 피어오르기 시작했다. 사람들과 모여서 책 이야기를 하는 모습, 사람들 앞에서 강의를 하는 내 모습을 상상하니 흐뭇해지기까지 했다.

"밀라노는 어때? 밀라노에 계신 분이 함께 일해보자고 오라고 하는데…. 한번 지원해 볼까?"

"뭐? 밀라노? 우리가 밀라노라니, 가당키나 해? 우리는 방글라데시, 네팔, 인도, 이런 나라가 어울리는 사람들이지. 밀라노라니. 무섭기만 하구만."

나는 그의 말에 단호박처럼 거절했다.

"그래도 함께 기도해 보면 어떨까…."

그는 새로운 가능성을 놓고 싶지 않은 눈치였다.

우연히 과거에 내가 그렸던 그림을 들춰보았다. 유럽의 어느 거리, 어느 운하, 어느 마을 그림이었다. 그런데 그곳이 모두 이탈리아였다. 그 전엔 그냥 지나쳤던 장소가 눈에 들어오기 시작했다. 밀라노를 검색해 보기 시작했다. 웅장한 두오모 성당의 모습, 중세 시대 건물이 고스란히 남아있는 거리, 자연과 사람이 어우러져 한 폭의 그림 같은 풍경.

그 모습을 보자마자 밀라노에 대한 기대가 스멀스멀 피어올랐다. 사람의 마음이 이렇게 간사하다….

걱정은 우리 삶에 붙어 사는 기생목 같다. 우리의 에너지를 자꾸 빨아들이며 무럭무럭 자란다. 문제는 나이가 들수록 걱정이 더 많아진다는 사실이다. 20대 때는 앞뒤 가리지 않고 덤벼들었던 일들 앞에서 마흔이 넘은 지금은 이리 재고 저리 재며 무엇이 덜 걱정스러운 길인지 비교한다. 그러다 결심할 시간을 놓치기 일쑤이다. 나의 인생 앞에서 능동적으로 가야 할 길을 환경에 떠밀려 못 이기는 척 수동적으로 가게 되는 것이다. 수동적인 결정에는 책임감이 덜하다. "어쩔 수 없었다"는 변명은 가장 좋은 자기위안이다.

인도를 떠나려고 마음먹었을 때 역시 걱정이 앞섰다. 아이들 학교와 학업, 지내야 할 집, 남편의 직장과 나의 일. 어느 것 하나 쉽게 장담할 수가 없었다. 하지만 밀라노행을 결정했을 때는 마음이 달랐다. 기대가 걱정을 앞질렀다. 걱정이 많은 마흔의 나이에 이십 대 같은 기대를 하며 우리 삶의 여정을 결정하고 말았다. 우리의 직관을 따른 결정이었지만 어쩌면 무모함이었을지도 모른다.

향기로운 보랏빛 향기를 풍기는 라벤더는 기대 또는 은혜라는 꽃말을 가지고 있다.

기대를 품고 밀라노에 왔지만, 여러 어려움을 겪었다. 비자 발급 서류에 문제가 생겨 다시 한국으로 돌아가야 했고, 아이들이 몇 개월 동안 학교에 다니지 못하기도 했다. 겨우 비자를 받고 밀라노로 다시 돌아온 후에는 둘째 딸아이가 가슴에 화상을 입어 병원에 다녀야 했고, 늦은 밤에 내 몸에 발생한 급성 전신 알러지로 응급실에 가기도 했다. 집을 구하지 못해 숙소에서 숙소로 전전긍긍하며 우리를 품어주지 않고 짜게 구는 이 도시에 온 것을 원망하기도 했다. 그때마다 우리가 할 수 있는 것은 두 손을 모으고 기도하는 일뿐이었다. 우리의 직관이 믿음이었기를 바라며 우리의 걱정과 불안을 기대로 물들어 주시기를, 또 다시 우리의 인생을 결정해야 하는 날엔 "어쩔 수 없었다"는 변명이 아닌 능동적인 선택을 하고 싶었다.

네 번째 숙소에서 지내던 5월 어느 날, 정말 우연하게 월셋집을 소개받았다. 집 바로 옆에는 큰 공원이 있었고, 베란다에 서 있으면 저 멀리 호수가 보였다. 아이들 학교까지 가려면 버스와 지하철을 타야 했지만, 20분이면 갈 수 있는 거리였다. 회사에서 지원해 주는 예산과도 딱 맞아떨어졌고, 집주인이 한국 사람이라는 사실 또한 놀라웠다. 우리는 그 집을 보자마자 바로 이 집이라는 생각이 들었다. 하지만 이미 다른 중국인 가족이 계약을 하려고 기다리고 있다고 했다. 그런데 이상하게 실망이 되는 것이 아니라 기대가 되었다. 바로 이 집에서 우리가 살게 될 거라는 막연한 믿음이 있었다.

며칠 후 집주인에게서 연락이 왔다. 중국인 가족과 집 계약이 잘 안 되었다고 했다. 그리고 한국인인 우리와 계약을 하고 싶다고 했다. 우리는 한 달 후 이 집으로 이사를 했고, 1년 넘게 살고 있다.

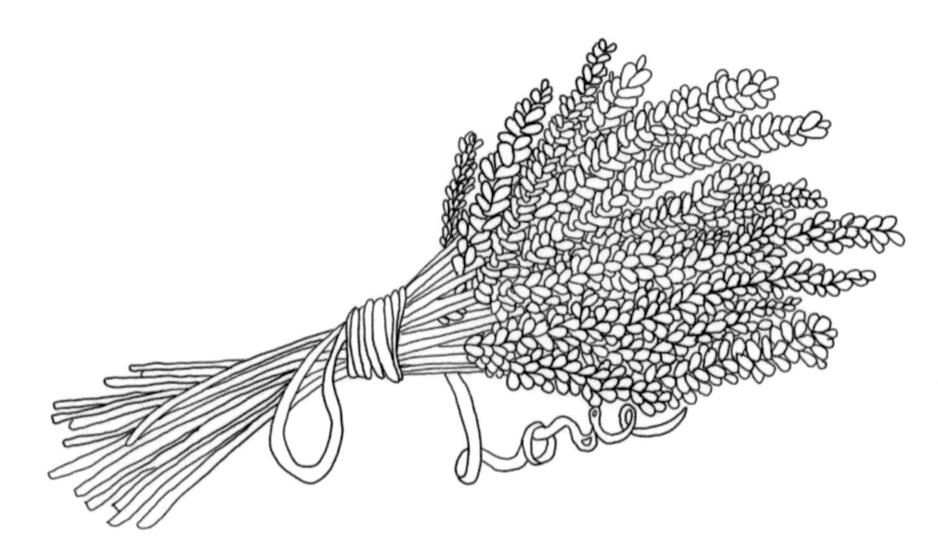

집에서 학교로 가는 길엔 원형 교차로가 있다. 여름이 되면 교차로 중간 원형 정원에 보랏빛 라벤더가 만발하다. 나는 그 꽃을 볼 때마다 우리에게 허락된 은혜의 시간을 되돌아본다.

여전히 우리의 삶은 불안정하다. 남편 회사가 생각보다 잘 되지 않아 매번 한계에 부딪힌다. 이탈리아어를 못한다는 매우 당연한 일이 여기서는 핸디캡으로 작용한다. 매번 이젠 돌아가야 하나…. 고민하며 하루, 이틀, 일주일, 한 달, 일 년, 그리고 이 년을 살아냈다.

이런 상황에서도 내년이 기대되는 이유는 걱정과 기대의 근원이 같기 때문이다. 걱정도 기대도 미래에 대한 막연함에서 출발한다. 우리는 우리가 경험했던 은혜의 순간들을 떠올리며 삶에 대한 기대를 한다.

우리가 삶에 대한 기대를 저버리지 않는 한,
삶도 우리를 실망시키지 않을 것이라 믿는다.

관계에 대하여

튤립

1년 전, 진아 작가님, 정아 작가님과 함께 쓴 책이 드디어 출간되었다. 코로나 시기에 온라인으로 만나 글로 소통하다가 책까지 쓴 우리가 참 대견하게 느껴졌다. 처음엔 인친 님들의 글을 받아 무료 매거진을 만들어 배포했고, 그다음엔 카카오 브런치 공동매거진에 함께 글을 썼고, 마지막으로 함께 책을 써낸 것이었다.

처음엔 셋이 아니라 넷이었다. 온라인 커뮤니티에서 만났던 한 분과 마음이 꽤 잘 맞았고, 이것저것 해보고 싶어 하던 그분을 키워주고 싶었다. 내가 알고 있는 정보나 지식, 노하우를 그분께 모두 가르쳐주고 싶었고, 함께 새로운 시도를 해보고 싶기도 했다.

하지만 나는 그분의 마음을 잘 들여다보지 못했던 것 같다. 나는 그냥 즐거우면 다 좋을 거라고 생각했다. 하지만 그건 나의 순진한 착각이었다. 미래를 보장해 주지 않는 사람과 함께 일한다는 게 얼마나 불안한 일인지, 아무런 대가 없이 봉사 정신으로 일을 한다는 게 얼마나 소모적인 일인지, 나는 미처 깨닫지 못했던 것이다. 이제 그만하고 싶다고 말했을 때 나는 그녀를 붙잡지 못했다. 함께 하는 일을 그만하고 싶다는 말이었지만, 나는 그 말이 이제 그만 나와의 관계를 정리하고 싶다는 말로 들렸다….

온라인으로 관계를 맺었다가 온라인으로 관계를 정리한 경우가 또 있었다. 온라인으로 매거진을 만들어 발행해 보자 약속한 후 사람들의 원고를 다 받아 놓고 이제 편집을 해야 할 찰나에 "너무 바빠서 못할 것 같다"고 말하는 바람에 나 혼자서 편집부터 발송까지 다 해야 했다. 나는 뭘 믿고 그녀와의 미래를 핑크빛일 거라고 생각했던 것일까? 글을 쓰는 사람은 모두 진실될 것이라고 생각했던 나의 오만함을 두고두고 후회했다.

혼자서 편집을 하고, 디자인을 하고, 매거진 발행까지 하면서 소심한 복수를 했다. 그녀의 이름을 모두 빼고 내 이름만 넣은 것이었다. 그렇게 서로가 서로에게 손절을 하니 더 이상 우리의 관계를 이어갈 접점도, 명분도 없다는 걸 깨달았다.

이 일이 있은 지 얼마 안 되었을 때 또 한 번의 관계를 정리하게 된 것이었다. 그 후 나는 내가 하는 일들에 대해 깊이 생각하기 시작했다.

나는 무엇을 위해 이런 일들을 하는 것일까?
좀 더 돈이 되는 일을 해야 하는 것은 아닐까?
과연 나는 사람들을 가르칠 만한 능력이 있는 사람일까?
내가 하는 일엔 어떤 의미가 있을까?
내가 그들의 미래를 보장해 줄 수 있을까?

즐겁게 일하는 것 이상으로 무언가를 더 줄 수 있을까?

내 주제에 무슨…. 고작 책 한 권 출간했을 뿐인 내가, 그것도 잘 팔리지 않은 책의 저자인 내가, 겨우겨우 혼자 책을 만들고 있는 내가 뭐 잘났다고 사람들의 글을 모으고, 만지고 있는 것인가?

내 심연에 있던 자기 비하가 큰 먼지를 일으키며 달려와 나를 덮쳤다.

진아 작가님과 정아 작가님께 너무 죄송하다는 메시지를 보냈다. 다른 사람들처럼 내 글이나 열심히 써야 할 것 같다고, 너무 욕심을 부린 모양이라고, 나는 작가님들께 수익이나 미래를 보장해 줄 순 없다고 솔직하게 털어놓았다.

한없이 움츠러든 나에게 작가님들은 이렇게 말했다.

의미는 누가 주는 것이 아니라 자기 자신이 찾는 것이라고, 대가를 바라지 않고 즐거움 하나만 보고 일을 하는 사람들도 있다고. 함께 매거진을 기획하고 만드는 모든 과정이 정말 즐거웠다고….

눈물이 왈칵 쏟아졌다. 나 자신은 믿을 수 없지만, 그녀들의 말은 믿고 싶었다. 나는 깊은 신뢰와 안정감을 느꼈다. 이들과의 관계는 쉽게 부서지지 않을 것이며 더 오래오래 갈 것 같은 예감이 들었다. 그래서 더욱 발전적인 기획을 모색하고 싶었던 것 같다. 함께 쓴 글을 엮어서 책으로 만들자고 한 이유가 바로 이것이었다. 날이 풀리면 사르르 녹아버리는 얼음 위의 관계가 아니라 책이라는 땅 위에 발을 딛고 서서 오래도록 진실한 관계를 이어가고 싶었다.

카카오 브런치 공동매거진에 "글쓰기를 글쓰기"라는 주제로 함께 글을 쓰다가 그 글을 모아 샘플 원고를 만들어 출판사에 투고를 하기 시작했다. 투고를 시작한 지 얼마 안 되어 한 출판사에서 연락이 왔다. 이제 막 시작해 출간된 책이 한 권도 없는 신생 출판사였다. 게다가 반기획 출판을 해보자는 것이었다. 우리 셋은 반기획은 무리라고 생각했다. 서로의 글에 자신감이 있었기 때문이었다. 우리는 다른 출판사에 좀 더 투고를 해보기로 했다.

그런데 그 출판사의 대표님이 진아 작가님에게 연락을 했다.

"저희 출판사랑 계약하시죠, 기획 출간으로!!"

우리는 조금 더 비싸게 굴어야 하나…. 잠시 고민했지만, 맨 처음으로 계약하겠다고 해준 이 출판사와 손을 잡기로 했다.

당시 나는 이탈리아 비자 문제로 잠시 한국에 와서 머물고 있었다. 비자를 담당해 주던 사람의 잘못된 정보로 필요한 서류를 제대로 준비하지 못해 벌어진 일이었다. 야심 차게 뉴델리를 떠나 밀라노로 왔는데 실상 우리의 모습은 갈 곳을 잃어 방황하는 어린양 같았다. 코로나가 다시 심해져 언니들 집에서도 지내기 어렵게 되었을 때 우리는 강남의 가로수길에 숙소를 잡았다. 숙소 생활을 하면서도 나는 글을 쓰고, 고치고, 출간 기획서를 만들어 투고를 했다. 일상의 삶이 내 글쓰기 삶을 덮이지 않아 감사할 따름이었다.

드디어 출간 계약서에 사인을 했다. 출간 예정일은 9월이었다. 우리 세 사람은 직접 만나 기쁨을 나누진 못했지만, 줌으로 만나 서로가 서로를 축하하는 시간을 가졌다.

"딩동"

"누구세요?"

"일본에서 꽃 배달 왔습니다~"

"네? 어머 어머~"

정아 작가님이 숙소 주소를 물어보셨을 때 뭘 보내시려고 저러시나…. 예상은 했지만 그게 꽃일 거라곤 생각하지 못했다. 핑크빛이 서린 튤립을 받아 들고 기쁨의 탄성을 연발했다.

무수한 밤 동안 컴퓨터 화면으로 만나 글과 삶을 나누었던 날들이 주마등처럼 스쳐 지나갔다. 사람과 사람과의 관계는 서로의 입김이 스치는, 손을 뻗으면 잡을 수 있는 거리만큼 비례한다고 생각했는데, 그게 꼭 물리적인 거리가 아니라는 걸 깨달았다.

작가님들과 했던 약속을 지킬 수 있어서 정말 감사했다. 그리고 내 안의 먼지 같은 자기 비하를 깨끗이 청소할 수 있어서 더욱 기뻤다.

아무것도 없는 나를 믿고, 함께 해준 사람들이 있었기에 나는 글을 계속 쓸 수 있었다.

그리고 앞으로도 계속 쓸 수 있을 것 같다.

@goodness
@goodness

인내의 시간을 보내며 제라늄

"잠깐 밖에 산책 좀 하러 갈까?"

"나 책도 읽어야 되고, 글도 더 써야 하는데…. 알겠어. 잠깐만. 해가 지니까 너무 춥다. 나이 들었는지 요즘은 엉덩이랑 허벅지가 시려워."

"따뜻하게 입고 나와."

"할머니들이 내복 입는 이유를 알겠다니까. 정말 뼈가 시려. 다 입었어. 가자."

"얘들아, 엄마 아빠 밖에 산책 다녀올게."

"응, 조심히 다녀와."

"아파트가 진짜 조용하다. 어떻게 이렇게 조용하지?"

"마치 산속에 온 것 같지 않아? 사람들이 집에만 있는 건가?"

"방음이 잘 되는 걸까?"

"글쎄…. 암튼 신기해."

"저기 7층에 사는 개다. 저 개 이름이 '브라보'야. 저렇게 큰 개를 어떻게 집안에서 키우지?"

"그러게. 털이 엄청나게 날릴 텐데."

"나는 털보다도 저렇게 크면 똥도 엄청 크게 쌀 거 아니야. 똥 어떻게 치운대. 난 절대 절대 집안에서 개는 안 키울 거야."

"옛날에 우리는 개를 묶어 놓고 키웠잖아. 생각해 보면 참 불쌍했던 것 같아. 여기 사람들 보니까 참 부지런하단 말이야. 아침저녁으로 산책시키고. 개는 꼭 산책을 해야 한데."

"자기랑 딱 맞네. 산책 좋아하는 거 보니까. 개띠라 그러나? 나는 침대 속에 있는 게 딱 좋은데."

"그래도 이렇게 걷고 산책 해줘야지. 그래야 정신이 맑아져. 오늘 스트레스 엄청 받았는데 좀 걸으니까 살겠다."

"왜? 박 상무가 또 뭐라고 해?"

"이제 진짜 한계인 것 같아. 현지 상황은 고려하지도 않고, 맨날 자료만 달라고 하고. 가뜩이나 사람도 없는데 할 일은 많고, 달라는 자료는 많고, 에휴…. 이제 진짜 한계인 것 같아."

"많이 힘들어? 그래, 그럼 그만두자. 난 아무런 미련 없어. 그만두겠다고 말해. 나도 아이들에게 말 할 테니까."

"그래…. 알겠어…."

"정말 사람들 너무한 것 같아. 이 정도로 버틴 게 누구 덕분인데 알지도 못하면서 그렇게 쉽게 판단하는 거야?"

"그러게, 그냥 지금 상황만 보고 판단하는 거지. 과거에 어떤 일이 있었는지는 그들에게 중요하지 않으니까. 나도 너무 지친다."

“그래. 그만둬. 어디 갈 데 없겠어? 어디 자기 없이 운영해 보라지. 사람 귀한 줄 모르는 사람과는 함께 일하는 거 아니지. 그만둬. 한국에 가서 뭐라도 하면 되지 뭐.”

“왜 그렇게 앞과 뒤가 다른지 모르겠어. 그리고 분명히 나한텐 이렇게 말했는데 기억을 못하더라.”

“나이 들어서 기억 못하는 거 아니고?”

“그건 아닌 것 같고 그냥 상황을 모면하려고 말을 하다보니, 자기가 무슨 말 했는지도 모르는 것 같아.”

“와서 본인이 직접 일 해보라지. 여기 이탈리아 사람들의 특성을 모르면 아무것도 못 하지 뭐. 얼마나 계산적인데.”

“유럽에서 아시아 제품이 잘 되려면 정말 전략적이고 체계적으로 해야 하는데 그런 걸 모르는 것 같아. 동남아시아에서 했던 방식으로 하면 여기선 진짜 망하는데.”

“법인을 세우기 전에 그런 시장조사부터 해야 하는 거 아니야?”

“했겠지. 했을까? 모르겠네. 근데 요즘 다들 어렵다고 하니까. 우리 회사도 그런 것 같고.”

“이러다 망하는 거 아니겠지? 어디 건축 쪽은 줄도산 위험이 있다던데. 대출받아서 아파트 계약한 사람들 엄청 불안하데.”

“그러고 보면 우리는 대출도 없고, 집도 없으니 다행인 건가?”

“뭐, 집은 하나 있었으면 좋겠지만 집이 있었으면 이렇게 못 살았겠지?”

“따지고 보면 우린 참 특별한 삶을 사는 것 같아. 우리가 이렇게 이탈리아에 살 줄 알았어?”

"아니, 전~혀. 나는 어렸을 적에 내가 해외에 살게 될 거라고는 꿈에도 몰랐어. 아예 생각조차 하지 않았어. 해외가 웬 말이야. 저기 고흥 시골에서 살았던 촌년인데."

"우리가 여기 살다가 나중에 프랑스에 가게 된다면 정말 말도 안 되는 거지. 어떻게 설명할 수 있겠어? 애들을 프랑스 학교에 보낸 것도 그냥 직관적으로 보낸 건데. 우리가 프랑스로 가게 된다면 정말…. 말로는 설명이 안 되는 거지."

"과연 우리가 가게 될까? 프랑스어도 못하는데?"

"애들이 하잖아. 애들 통역알바 시켜야지. 이상하게 이탈리아 말은 배우기가 싫다니깐."

"나도 그래. 왜 이렇게 하기가 싫을까? 여기에 오래 살진 않을 것 같아서 그런가 봐. 그래도 여기 몇 년 더 있게 된다면 집은 이사 가고 싶다. 지금 집은 좀 작아서 말이야."

"우리 동네 너무 좋은데. 난 우리 아파트에서 저 꼭대기 층에 살아 보고 싶어. 복층인 것 같아."

"여기 사람들 정말 꽃 좋아하는 것 같아. 저기 집집마다 베란다에 제라늄 있는 것좀 봐. 너무 예쁘다. 나도 하나 사고 싶었는데."

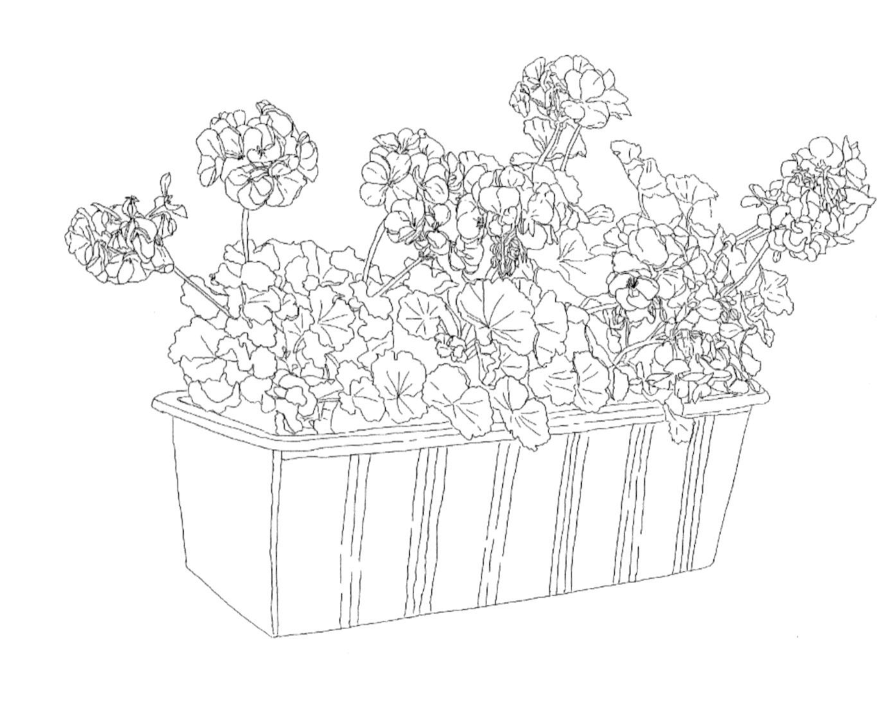

“사람들이 소소하게 잘 가꾸며 사는 것 같아. 우리나라처럼 역세권이나 강남을 선호하는 것 같지도 않고. 오히려 이렇게 넓은 공원이나 자연을 더 좋아하는 것 같고.”

"이 사람들은 집 근처에 바(bar)만 있으면 만족할걸? 바(bar)세권이 좋은 집이지. 그러고 보면 우리 아파트는 바(bar)가 너무 멀어."

"하늘에 별 좀 봐. 여기가 밀라노라는 게 믿겨 져? 밀라노에서 이런 하늘을 보게 될 거라고 생각이나 했어?"

"그러니까. 너무 신기하다. 근데, 그래서 그만두겠다는 거야? 말겠다는 거야?"

"지금 당장은 그만 못 두지. 지켜봐야지."

"아니, 이제 한계라며~ 그만두라니깐! 한국 들어가자니깐!"

"한국 간다고 해서 딱히 뭔 수가 있는 건 아니니까. 일이 힘들고 사람들이 싫긴 하지만, 덕분에 밀라노에 살고 있으니 고마운 건 사실이지."

"헐…. 난 분명히 그만두라고 말했다! 나중에 딴 소리하지 않기!"

이렇게 또 한 고비를 넘겼다.

생각을 비워내는 일

팬지

지난 3월, 갑작스레 오스트리아로 여행을 떠났다. 밀라노는 봄이 한창이었지만, 북쪽의 오스트리아는 아직 겨울이었다. 봄옷과 겨울옷을 바리바리 싸고, 라면과 김치, 젓가락과 쓰레기봉투, 쌀과 각종 양념들을 챙겨 차 트렁크에 넣었다. 아이들에게 멀미약을 먹인 후 5시간이 넘는 운전을 시작했다. 내가 운전을 할 줄 알면 참 좋겠지만, 나는 무사고 무경험 20년 차 장롱면허 소지자! 얼마 전엔 적성검사까지 새로 받고 20년 만에 운전면허증을 새롭게 갱신까지 했다. 야심차게 국제운전면허증도 만들어 가지고 왔지만, 운전할 엄두조차 내지 못한다. 밀라노에서의 운전은…. 그야말로…. 눈치껏 운전을 해야하는 곳이기 때문이다.

그래서 여행을 계획하는 것도 남편의 몫, 운전을 하는 것도 남편의 몫이다.

그의 여행 계획은 참으로 허술하다. 일단 구글맵을 켜고 가보고 싶은 곳을 손가락으로 찍는다. 밀라노에서부터 그곳까지의 경로를 확인

하며 그 중간중간 도시를 손가락으로 클릭해 본다. 구글맵에 올려진 사진들을 보며 괜찮은 것 같으면 인스타그램이나 네이버로 검색을 해 본다. 적당히 평이 괜찮으면 숙소 예약을 한다. 그리고 그냥 간다….

회사에서 일을 할 때는 철저하게 계획을 세우고, 그 계획에 맞춰 아주 작은 것까지 신경 쓰는 사람이 여행을 할 때는 허술하기 짝이 없다. 나는 원래 계획을 세우고 계획에 따라 움직이지 않으면 불안해하는 사람이었는데, 그와 살다 보니 어느새 그러려니…. 하게 된다.

하긴, 이런 삶에 순응하지 못했다면 진작에 갈라섰을지도 모르겠다.

이번 오스트리아 여행도 마찬가지였다.

그는 밀라노와 오스트리아, 할슈타트를 연결한 다음 그 사이에 있는 도시들 중 가볼만 한 곳을 대충 찍어 숙소를 예약했다.

우리의 첫 목적지는 인스브루크. 알프스로 둘러싸인 오스트리아 남쪽에 위치한 도시이다. 이탈리아 국경과 오스트리아 국경 사이엔 횡단보도 하나만 있었다. 눈 깜짝할 사이에 국경을 지나 우리는 오스트리아에 닿아 있었다. 인스브루크는 산으로 둘러싸인 작은 도시였다. 하지만 예전에 동계올림픽을 개최한 적이 있었는지 여기저기에 동계올림픽의 흔적이 남아 있었다. 방글라데시와 인도에서 살다 온 우리는 스키장 근처에도 안 가봤는데 대부분의 사람들은 스키나 겨울 스포츠를 즐기러 오는 곳이기도 했다. 우리는 할 일 없이 도시를 어슬렁거리며 사진을 찍었다. 어느 곳을 배경으로 찍어도 사진처럼 아름다웠다.

그다음날 목적지는 어느 시골집이었는데 허허벌판에 집이 딱 3개만 있는 곳이었다. 그 날은 바로 부활절이었는데, 주인 할머니 집에 손자들이 놀러왔는지 위층 다락방이 떠들썩했다. 부활절날 아침, 우리 아이

들이 고양이와 놀겠다며 정원에 나갔다가 달걀을 2개 발견했다. 주인 할머니에게 가져다드리니,

“이스터 버니(Easter bunny)가 두고 갔나 보구나. 너희들 가지거라.”

라고 했단다.

다음 날 드디어 할슈타트로 향했다. 산을 빙 돌아가느라 가는 길이 쉽지 않았다. 눈이 쌓인 언덕을 만나 잠시 눈싸움도 하고, 흐르는 계곡을 넋 놓고 바라보기도 하면서 우리는 아주 천천히 할슈타트로 향했다.

드디어 그곳에 도착해 푸른 호숫가를 걸었다. 며칠 동안 날이 흐렸었는데 우리가 온 날은 쨍하니 해가 떴다. 오랜만에 겨울 잠바를 숙소에 벗어 놓고, 얇은 봄옷을 꺼내 입었다. 따뜻하게 내리 쬐는 할슈타트의 넓은 호수가 반짝였다. 유명한 관광지답게 식당이나 선물 가게가 사람들도 북적였다. 겨울왕국 같은 배경의 포토스팟에는 사진을 찍는 사람들로 붐볐다. 우리도 차례를 기다려 가장 사진이 잘 나오는 곳에 서서 인증샷을 찍었다. 내가 이곳에 서 있다는 사실이 믿기지 않았다.

며칠 전만 해도 계획이 없었는데 갑자기 여행을 온 이유는 한국에 있는 본사가 쉬는 날이기 때문이었다. 본사가 한국에 있기 때문에 이탈리아가 쉬는 날이라고 해도 남편을 일을 해야 했다. 심지어 8시간이라는 시차를 깡그리 무시한 채 모든 시간과 공간을 ‘한국’에 맞추어서 일해야 했다. 새벽 2시에 미팅을 하는 일은 비일비재 한 일이었다. 새벽에 전화를 하는 사람, 일어나자마자 보고서를 제출하라고 말하는 사람, 휴

가 중에도 노트북을 놓지 못하고 일해야 하는 상황이 매번 반복되었다.

이런 일상으로부터 잠시 거리를 두기 위해 남편은 여행을 떠나는 것이었다.

일과 스트레스로부터 적절한 거리를 두는 일은 언제나 중요하다. 상대방의 상황을 고려해 주고, 이해해 주고, 기다려 주는 그런 회사는 많지 않다. 남들이 나의 상황을 이해해 주기를 기다리기 전에 나 스스로가 내 상황을 조절해야 하는 것이다. 여행을 하며 잠시라도 회사 생각은 내려놓고, 지금 내 앞의 풍경에 집중해 보는 것. 그것이 바로 여행을 하는 이유가 아닐까.

앙증맞은 꽃 팬지는 유럽에서 많이 볼 수 있다. 여러 꽃 중에서도 로

맨틱한 꽃으로 통용되는데, 프랑스어로 penser(생각하다)라는 말에서 유래되었다고 한다. 꽃의 형태가 사색하고 있는 사람을 연상시키기 때문이라고.

생각을 비워내기 위해 할슈타트로 여행을 왔다가 어느 계단 햇볕이 잘 드는 곳에서 팬지꽃을 만났다. 산속의 이른 봄은 아직 겨울 날씨인데도 팬지꽃은 영롱한 보랏빛을 발산했다. 고개를 숙이고 살랑대는 꽃을 보니 마치, "당신의 고민과 걱정은 모두 내가 대신할 테니, 당신은 아름다운 이곳의 풍경을 보며 잠시 평안해져라"고 말하는 것 같았다.

남편은 팬지꽃 옆에 있던 벤치에 앉아 호수에 반짝이는 윤슬을 보며 머릿속의 모든 생각을 비워내는 것 같았다. 나는 그런 남편을 놔두고 이 계단의 끝을 보고야 말겠다는 생각으로 위로 위로 올라갔다. 호기심과 오기로 똘똘 뭉친 나는 생각을 비워내는 일보다 내 눈에 더 많은 풍경을 담는 것이 중요했다. 계단을 오르고 오르다 더 이상 오를 길이 없을 때 발길을 아래로 돌렸다. 생각했던 것만큼 멋있지 않아서 조금 실망하기도 했다.

3박 4일의 짧은 여행을 끝내고 할슈타트에서 밀라노로 돌아가는 길이었다. 가는 내내 비가 내렸다. 휴게소에 들러 점심을 주문했는데, 익숙하지 않은 오스트리아 휴게소에서 의사소통이 잘되지 않아 한참 동안 실랑이를 했다. 이제 빨리 집에 가고 싶었지만, 아직도 갈 길이 멀었다. 구글 지도로는 총 7시간을 운전해야 한다고 나왔지만, 비가 오는 바람에 그 시간은 더 길어졌다.

한참을 달려 드디어 이탈리아로 들어섰다. 속도를 지키지 않고, 차선을 지키지 않는 이탈리아 번호가 붙은 차량을 보며 안도감을 느꼈다.

드디어 집에 온 것 같은 편안함마저 들었다. 이탈리아 휴게소에 들러 에스프레소를 한 잔 시켰다. 겨우 “커피 한 잔 주세요.” “감사합니다” 말이 통한 것 만으로도 긴장이 사르르 녹아 없어졌다. 진한 커피 향을 온몸으로 맞으며, 싫으나 고우나 이제 우리는 밀라노 사람이 다 되었다는 걸 실감했다.

에필로그를 쓰려고 파일을 열었다가

필요 없는 문장들을 발견했다.

로그아웃 하듯 나의 글을 껐다가 다시 새롭게 켜고 싶었지만,

그럴 수가 없었다.

이미 3년이나 지난 과거의 글을 읽으며

지금을 살아갈 용기를 얻었기 때문이었다.

2024. 1. 16.

밀라노에서 선량